D0326848

James Joyce

Dans la même collection

Peter Gay
MOZART

Jonathan Spence
MAO ZEDONG

Edmund White
MARCEL PROUST

À paraître

Mary Gordon
JEANNE D'ARC

Sherwin B. Nuland
LÉONARD DE VINCI

GRANDES FIGURES
Grandes signatures

EDNA O'BRIEN

James Joyce

Traduction
de Geneviève Bigant-Boddaert

FIDES

*La traduction française des ouvrages de cette collection
est dirigée par Chantal Bouchard.*

A Lipper/Penguin Book
Cet ouvrage est publié dans le cadre d'un accord des Éditions Fides
avec Lipper Publications et Viking Penguin.

Données de catalogage avant publication (Canada)

O'Brien, Edna, 1936-
James Joyce
(Collection Grandes figures, grandes signatures)
Traduction de : *James Joyce*
Comprend des réf. bibliogr.

ISBN 2-7621-2321-6

1. Joyce, James, 1882-1941.
2. Romanciers irlandais – 20ᵉ siècle – Biographies.
I. Titre. II Collection.

PR6019.09Z78114 2001   823'.912   C2001-941253-3

First published in the United States under
the title *James Joyce* by Edna O'Brien.
© Edna O'Brien, 1999
Published by arrangement with Lipper Publications L.L.C.
and Viking Penguin, a division of Penguin Putnam USA Inc.
All rights reserved

Dépôt légal : 4ᵉ trimestre 2001
Bibliothèque nationale du Québec
© Éditions Fides, 2001, pour la traduction française

Les Éditions Fides remercient le ministère du Patrimoine canadien du soutien qui
leur est accordé dans le cadre du Programme d'aide au développement de l'industrie
de l'édition.

Les Éditions Fides remercient également le Conseil des Arts du Canada et la Société
de développement des entreprises culturelles du Québec (SODEC).

Les Éditions Fides bénéficient du Programme de crédit d'impôt pour l'édition de
livres du Gouvernement du Québec, géré par la SODEC.

Imprimé au Canada

Whack folthe dah, dance to your partner
Welt the flure, your trotters shake,
Wasn't it the truth I told you,
Lots of fun at Finnegan's Wake.

Irish Song

(Entrez dans la danse, saluez votre partenaire
Tapez des pieds, secouez-vous les gambettes
Vous voyez que j'avais dit vrai
On s'amuse bien à veiller Finnegan)

CHAPITRE 1

Il était une fois

IL ÉTAIT UNE FOIS, descendant une rue de Dublin, un homme qui se donnait le nom de Dedalus-le-sorcier, bâtisseur de labyrinthes et faiseur d'ailes pour Icare, lequel vola si près du soleil qu'il tomba, comme tomberait dans un abîme de mots l'apostolique Dublinois James Joyce — depuis les «épiphanies» de sa jeunesse jusqu'aux «folies épistologiques» des dernières années.

James Joyce, pauvre jobard, phénomène drolatique, soutien d'une joyeuse maisonnée dans les bas-fonds du désespoir. Son nom viendrait du latin «joie», mais il se voyait parfois autrement — gnognote de jésuite repoussant le corps terrestre du Christ, débauché, frère de la luxure chrétienne, Joyce-bon-à-tout-faire, barde-bienfaiteur-du-bœuf, perle des pitres, calotin des cabotins, moine enfrocplumé, timonier, phare de Poolbeg, mais aussi homme possédant le don de la majuscule irlandaise.

Un homme aux goûts libertins et aux inconséquences notoires, terrorisé par les chiens et l'orage, mais capable d'inspirer peur et soumission à son entourage ; un homme qui, à 39 ans, pleura parce qu'il n'avait pas engendré une nombreuse descendance, tout en maudissant la société et l'Église pour laquelle sa mère, en bonne mère irlandaise, n'était qu'un « fêlé réceptacle à enfanter ». Elle mit au monde 16 enfants, certains moururent en bas âge, d'autres un peu plus tard, mais 10 bouches à nourrir survécurent.

Joyce qualifiait d'« encriers hantés » les 12 ou 13 logis qu'ils habitèrent au fil de leurs déboires financiers. Au début, un semblant de confort, quelques traces de faste même. Sa mère, née May Murray, fille d'un négociant en vin de Dublin, férue de chant, de danse, de maintien et de bonnes manières, était très pieuse ; elle fut toute sa vie membre de la Congrégation mariale. Elle faisait aussi partie du chœur paroissial ; c'est là que son futur époux, le très rabelaisien John, de 10 ans son aîné, se toqua d'elle et entreprit de la séduire. La mère de John désapprouvait la chose, considérant que les Murray étaient d'une classe sociale inférieure. Mais John était si déterminé qu'il alla jusqu'à déménager sur sa rue afin de pouvoir emmener May en promenade. Ainsi faisait-on la cour à Dublin, dans les rues embrumées et sous la lumière jaune des réverbères, le long du canal ou au bord de la mer, que James Joyce devait immortaliser dans sa prose — « Lumière froide sur la mer, le sable, les galets » et le bruit de l'eau clapotant au creux des rochers. Son père et sa mère avaient marché là où il marcherait, jeune homme instable et rêveur qui dépeindrait dans ses écrits chaque empreinte de pas, chaque cri d'oiseau, chaque arabesque de sable humide ou sec, les algues émeraude et olivâtres ; il transcrivait tout cela en un mirage linguistique à la fois réel et transsubstantiel qui deviendrait pour toujours le Dublin de Joyce. Il en était si fier qu'il prétendait qu'on pourrait reconstruire Dublin — si la ville venait à disparaître — à partir de son œuvre.

James Augustine Joyce, second fils de John et May, naquit le 2 février 1882. Un premier enfant, prénommé John, était mort à la naissance — « Ma vie a été enterrée avec lui », s'était écrié son père dans un élan de pathos. May Joyce ne dit rien, par respect instinctif pour son mari, mais aussi par fatalisme. Malgré ses dires, la vie de John Joyce ne sombra pas ; c'était un homme vigoureux et plein d'entrain chez qui l'énergie et la bonne humeur eurent longtemps le dessus. Cependant, après 16 grossesses et presque autant de déménagements, les soucis pécuniaires, les déceptions et les morts d'enfants accélérèrent le naufrage de la famille. John donnait à toute heure libre cours à son hostilité envers sa belle-famille et parfois même sa femme — le nom de Murray lui puait au nez alors que celui de Joyce dégageait un « parfum enivrant ». Seules les photos des ancêtres Joyce et leurs armoiries trônaient fièrement dans la maison.

John était un homme de talent — excellent ténor et grand conteur — dont le bel esprit masquait une violence désespérée.

Enfant choyé, James (surnommé « Sunny Jim ») s'échappait souvent de la *nursery* pour descendre rejoindre ses parents en criant joyeusement : « C'est moi, c'est moi. » À cinq ans, il chantait lors de leurs réunions musicales du dimanche et les accompagnait à des concerts au Bray Boat Club. Sa myopie l'obligeait déjà à porter des lunettes. Qu'il ait adoré sa mère à cette époque ne fait pas de doute ; il l'identifiait à la Vierge Marie, tout imprégné qu'il était du rituel et des préceptes de la religion catholique. C'était une femme si pieuse qu'elle avait plus confiance en son confesseur qu'en aucun membre de sa propre famille. Très possessive à l'égard de Sunny Jim, elle le mettait en garde contre ses camarades turbulents ; elle alla jusqu'à condamner le poème qu'une petite fille du nom d'Eileen Vance lui avait envoyé pour la Saint-Valentin, l'année de ses six ans :

> O Jimmie Joyce mon bien-aimé
> Mon miroir du soir jusqu'au matin
> Plutôt toi sans un sequin
> Qu'Harry Newall son âne et son jardin

Sa mère qui « sentait meilleur que son père » était l'objet de toute sa tendresse. Lorsqu'ils se séparaient, il faisait semblant de ne pas voir les larmes derrière sa voilette.

CHAPITRE 2

Les Jésuites

L E PÈRE DE JAMES, qui voulait une parfaite éducation pour son jeune prodige, le confia, à l'âge de six ans et demi, aux jésuites du lugubre château de Clongowes Wood College, où ses condisciples le martyrisèrent pour lui faire avouer qu'il embrassait sa mère avant de s'endormir. Il eut tôt fait de regretter cet aveu, qu'il reniera ensuite avec énergie. Plus tard, il dira des jésuites qu'ils « forment un ordre impitoyable » et que « le "Jésus" de leur nom est pure antiphrase ». Il reconnaissait cependant que leur enseignement était incomparable. Une photographie montre James le jour de son départ du foyer familial, habillé en Petit Lord Fauntleroy, agenouillé près de sa mère, elle-même encadrée par son mari et son père, deux hommes que tout opposait. John Joyce appelait son beau-père « le vieux fornicateur » parce qu'il avait été marié deux fois, tandis que celui-ci regardait sa fille s'épuiser en grossesses répétées.

Très vite, James passa plus de temps à l'infirmerie que dans les salles de cours. Il fut, à cette époque, victime d'une injustice qu'il ne devait ni oublier ni pardonner. La notion de pardon lui sera d'ailleurs toujours étrangère. Un garçon avait pris ses lunettes et les avait cassées volontairement, ce que son professeur ne voulut pas croire, l'accusant de les avoir brisées lui-même pour échapper aux cours; il lui infligea une punition corporelle. James se retint en public, mais il pleura la nuit, terrorisé à l'idée de mourir avant que sa mère ne vienne le chercher.

Enfant de chœur, le rituel et la liturgie catholiques le mettaient dans une sorte d'extase, et la Vierge Marie, Tour d'ivoire, était l'objet de son adoration. Il écrivit d'ailleurs un hymne à ses mères charnelle et spirituelle. Les pompes de l'Église l'attirèrent jusqu'à ce qu'il comprenne la portée des terrifiants sermons que des prêtres déshumanisés clamaient d'une voix puissante, se complaisant dans les descriptions des châtiments et des feux de l'enfer. Il absorbait tout, enregistrait tout et le transcrivait dans *Portrait de l'artiste en jeune homme*, roman autobiographique plein de langueur et de mortification. La peur était cependant si présente qu'il avait souvent l'impression que la mort s'insinuait en lui, tel Socrate observant les effets progressifs de la ciguë qui éteignait un à un les centres lumineux du cerveau, jusqu'à la confrontation de l'âme avec Dieu et l'irrévocable verdict: paradis, purgatoire ou enfer.

Son séjour à Clongowes fut brusquement interrompu au bout de trois ans pour des raisons financières. Ce fut alors le retour au foyer, dans une maison encore plus petite, où des mois durant il s'instruisit seul, écrivit des poèmes et commença un roman dont il ne reste aucune trace. Il étudia un temps chez les frères des Écoles chrétiennes puis retourna chez les jésuites, à Belvedere College cette fois. Et déjà il s'éloignait de la mère qu'il avait tant chérie. Lors de sa confirmation à Clongowes, il avait choisi comme saint patron Aloysius (saint Louis de Gonzague), qui, à l'instar de Pascal, refusait que sa mère l'embrasse pour éviter tout contact avec la Femme. Dans cette nouvelle école, James fut un élève brillant, il remporta d'ailleurs plusieurs prix de composition anglaise. L'argent ainsi reçu aida sa famille dans le besoin à acheter vêtements et nourriture, et permit même quelques soirées au théâtre. Il était si pieux qu'on supposait qu'il se ferait prêtre, restant souvent après la messe pour prier seul. Il était également très studieux. Lorsque la famille partait pique-niquer, à Howth ou à Bull Wall (Clontarf), James emportait, notés sur de petits carnets, des résumés d'histoire ou de littérature, des listes de mots français et latins, et il s'interrogeait lui-même ou demandait à sa mère de le faire pendant que les autres enfants se baignaient. Ses professeurs le disaient bourré d'idées ; l'un deux prédit même que « Gussie » deviendrait écrivain.

La transformation qui s'opéra en lui en quelques années est comparable à celle que connaît un samouraï. Il passa de la douceur enfantine à l'indifférence caustique, de la piété timide au doute et à la rébellion. Il connut son premier éveil sexuel à 12 ans, alors qu'il rentrait à la maison accompagné d'une jeune nurse qui lui demanda de se tourner pendant qu'elle urinait : le son émis l'excita. Un an plus tard, il fut abordé par une prostituée et sa foi déjà chancelante fut étouffée à jamais lorsqu'il comprit qu'il ne pourrait être ni pur ni chaste. Ce changement fut d'abord discret ; sa vie à la maison et à l'école se poursuivait comme avant, mais il remettait en cause les principes religieux et familiaux. Bientôt il se rendrait dans les bordels et resterait toujours fasciné par ces lieux interdits, selon lui, les plus intéressants qu'offre une ville. Dans *Ulysse,* il leur attribue une vie fantasmagorique peu en rapport avec la réalité des bouges miteux qu'il fréquentait. Les jeunes filles qu'il avait rencontrées par le passé — ces vestales compassées et hypocrites avec lesquelles il avait joué aux charades lors des fêtes de Noël — n'étaient pas de taille à se mesurer à un homme déterminé à « commettre le péché avec une personne bien décidée à en jouir aussi pleinement ».

Les jésuites remarquèrent bientôt un certain relâchement et questionnèrent son jeune frère Stanislaus, le confident « aussi utile qu'un parapluie ». Troublé, Stanislaus avoua que James avait pour habitude, quand il était chez lui, de batifoler avec la jeune servante. Mme Joyce fut donc convoquée; elle renvoya la pécheresse et mit en garde les voisins contre elle. Elle voulait maintenir à tout prix la chasteté, et ce dans une maison comprenant trois chambres seulement, huit ou neuf enfants, d'autres à venir et un mari qui rentrait ivre, courroucé et violent. « Lit nuptial, lit de parturition, lit mortuaire aux spectrales bougies » — le jeune James fut témoin de tout cela.

Après la mort d'un autre enfant, Frederick, le père désespéré tenta d'étrangler sa femme en criant: « Et maintenant, Bon Dieu, finissons-en ! » Devant ses jeunes frères et sœurs terrorisés, James se jeta sur lui, le terrassant pendant que sa mère fuyait chez des voisins. Quelques jours plus tard, un officier de police vint tancer sérieusement John Joyce: si les coups cessèrent, les menaces et les hurlements n'en continuèrent pas moins. Privé de débouchés pour ses talents, il déchargeait toute sa frustration sur sa famille. Un soir qu'il traversait le pont de Capel Street à moitié ivre, escorté par James, il eut l'idée de faire subir au garçon une expérience formatrice en lui maintenant plusieurs minutes la tête dans la Liffey. Joyce ne lui garda aucune rancune des mauvais traitements infligés: tous deux étaient des « pécheurs ».

CHAPITRE 3

Les encriers

A<small>U FIL DES ANNÉES</small>, les Joyce déménagèrent dans des quartiers de plus en plus insalubres. Quittant le sud de Dublin et sa respectabilité apparente, ils passèrent à Bray, sur le bord de mer, puis revinrent s'installer à Dublin, d'abord dans l'une de ces petites maisons mitoyennes et ensuite dans des logis plus humbles, quasi-taudis du quartier nord près desquels des femmes campées derrière leur étal de fortune vendaient choux et pommes de terre. Avec chaque migration, James ajoutait des détails au plan de la ville qu'il constituait dans sa tête ; son père déclara un jour que, si on déposait ce garçon au milieu du Sahara, il en dessinerait la carte. James envisageait déjà de se sauver. Il comprenait que la famille était une nasse à laquelle il fallait échapper, mais il savait aussi que ces êtres démunis et prisonniers de leur destin — la mère passive, le père furieux, les frères et sœurs effarés — constituaient le matériau de son œuvre à venir. Pour lui, comme pour Sophocle, les grandes histoires prenaient forme et mijotaient dans le chaudron familial. Il en avait vu beaucoup, et beaucoup était exigé de lui. Quand son jeune frère, George, atteint d'une péritonite, fut à l'agonie et gémit : « Je suis trop jeune pour mourir », James s'assit au piano et joua une mélodie qu'il avait composée pour accompagner un poème de Yeats, le plus beau poème qu'il ait jamais lu : « Qui maintenant galopera en compagnie de Fergus / Et percera l'ombre tressée du bois profond… ? »

Il joua le rôle du père et du fils dans la famille en deuil. Mais cette nuit-là, lorsque tous furent endormis, il redescendit contempler le petit corps et remarqua que le bleu des yeux était toujours visible sous les paupières fermées trop tard. Il ne révélait à personne cette tendresse inquiétante dont sont imprégnées les nouvelles qui composent *Dublinois*. Il se montrait distant avec sa famille, lisait avec voracité les livres empruntés à la bibliothèque de Capel Street, s'attirant les foudres du bibliothécaire lorsqu'il choisissait des ouvrages « douteux ». Il envoyait parfois son frère Stanislaus lui chercher un volume ou mettre quelque effet en gage pour son compte. Il avait conquis toute la famille et ne craignait aucune de ses critiques non plus que les remontrances de ses professeurs. Ses maîtres de Belvedere pensaient qu'il trouverait à s'employer dans les bureaux de la brasserie Guinness ; son père, quant à lui, le jugeait fait pour le droit. Sur un coup de tête, il opta pour la médecine, mais ne s'y intéressa qu'en dilettante, rêvant plutôt de parcourir l'Angleterre comme un baladin avec son luth. Il allait rarement aux cours, n'en préparait aucun, ne se présentait pas aux examens et arpentait les rues en pensant à ses « épiphanies », retravaillant indéfiniment les syllabes jusqu'à leur faire prendre la forme de « prismes multicolores ».

En dépit de son dénuement, il voulait observer et transcrire la vie autour de lui pour l'intégrer « dans la musique planétaire ». Il se débrouillait pour avoir toujours l'air insouciant et, s'il avait dû choisir une devise, c'eût été : « Prenez garde au miséreux. » Il se détacherait de « sa mortifère enfance », du moins le croyait-il. Vivre, pécher, succomber, s'adonner à la luxure, en vrai McLochlann dont le sang coulait dans ses veines, telle était sa règle. Les prostituées ne coûtaient rien — « deux pines et peau d'nœud » comme le dit la catin dans *Ulysse,* lorsque Stephen Dedalus entre dans le lieu de débauche. Selon Stanislaus, l'une des prostituées du bordel que fréquentait Joyce était si entichée de lui qu'elle lui offrit de l'argent pour qu'il puisse participer à un concours de chant, mais il était « trop bougrement fier » pour accepter. Et fier, il l'était : lorsqu'on lui fit remarquer que son nom figurait sur la liste placardée des étudiants qui n'avaient pas payé leur inscription, il simula la cécité !

La découverte d'Ibsen fut, pour Joyce, d'une importance équivalant à la conversion de Saül sur le chemin de Damas. Il plaçait le dramaturge au-dessus de Shakespeare et révérait son mépris pour la fausseté et l'hypocrisie. Dans une lettre au traducteur d'Ibsen, Joyce se montre tel un guerrier s'identifiant aux combats de l'écrivain, à ces luttes, disait-il, «menées et gagnées derrière votre front». Ibsen lui avait montré comment «marcher dans la lumière de son héroïsme intérieur». «Mais nous gardons toujours pour nous ce qui nous est le plus cher», écrivait-il — confidence révélatrice faite à un homme célèbre qui ne comprenait pas l'anglais, et poignante confession du désarroi émotionnel de Joyce. Ambiguïté, sarcasme et mépris n'étaient qu'un masque. Sa lettre se conclut sur ces mots : «Votre œuvre ici-bas s'achève et vous approchez du silence. La nuit tombe sur vous.» Joyce avait alors 19 ans. Un jeune homme ne songe généralement pas à de telles choses à moins de pressentir lui-même les ténèbres qui l'attendent. Les disputes, les morts, la faim, les incessants problèmes d'argent furent pour lui une rude école et l'amenèrent à rejeter les siens et son pays. Revenant de voir une pièce de Sudermann dans laquelle une famille est impitoyablement disséquée, il dit à ses parents qu'il était bien inutile d'y être allé puisque le mauvais génie qu'ils avaient vu sur scène se déchaînait en fait chez eux et qu'ils connaîtraient le même sort que les protagonistes.

Pour s'amuser, il écrivait des critiques de théâtre à la manière de Carlyle, de Macaulay ou du cardinal Newman et, le lendemain, les comparait à celles qu'un parfait ignare avait publiées dans le journal. Le manque de vigueur intellectuelle était, disait-il, «la maladie vénérienne des Irlandais». Il ne cachait pas la répulsion que lui inspirait la torpeur intellectuelle ambiante, ainsi que la soumission filiale à l'Église. Tout comme l'oie sauvage, il voulait s'envoler ailleurs, se «continentaliser». Il rêvait de Paris — «lampe allumée pour les amants dans la forêt du monde». Il notait certains de ses rêves dans un cahier : tous portent la marque d'une imagination fertile et malade — un paysage de conte de fées, brumeux et enneigé où rôde quelque bête menaçante, archétype qu'il doit maîtriser. L'une des bêtes auxquelles il fit face marmonna des mots encore inintelligibles pour lui, préfigurant la façon dont il monterait à l'assaut du langage — escalades vertigineuses, mots agencés de façon à prendre une autre lumière, un autre éclat, significations multiples, litanies rétives d'un homme qui choisit de croire que Jésus était davantage le fils de Dieu que celui de Marie.

Il rompit avec l'Église catholique alors qu'il n'était encore qu'adolescent, mais d'une certaine manière il ne la quitta jamais, l'endoctrinement de sa mère et des prêtres l'ayant marqué trop profondément pour qu'il en soit capable. Il fit une guerre ouverte et sans merci à ses deux mères, appelant l'Église catholique «la fille de cuisine de la chrétienté». Les sermons des prêtres le remplirent de terreur puis de dégoût. Ces prêtres n'étaient selon lui rien de plus que des ânes tyranniques, tonsurés et huilés, éructant un latin nasillard, qui parlaient de la chute des damnés en enfer comme d'une pluie de pierres. L'un d'eux, dans un moment d'emportement mémorable, s'était laissé aller à dire que si les souffrances, les guerres et tous les maux du monde pouvaient être évités par un péché véniel, mieux valait encore ne pas commettre ce péché. Quelle absurdité!

Dans *Portrait de l'artiste*, Stephen Dedalus déclare: «J'ai essayé d'aimer Dieu», avouant ainsi implicitement sa répugnance pour l'Église. Les poètes sont les gardiens de la spiritualité, tandis que les prêtres en sont les destructeurs et les usurpateurs. Les corps des damnés implorant miséricorde et vomissant du feu étaient pour Joyce aussi réels que les flammes de l'enfer si éloquemment annoncées. Il parvint à s'échapper, mais tourner le dos à l'Église est une chose, tourner le dos à Dieu en est une autre. Les motifs religieux allaient imprégner son œuvre: dans *Portrait de l'artiste*, le sermon donnera le frisson à des générations de lecteurs et l'on trouvera, disséminées dans ses écrits, des parodies de prières et des éructations qui sont autant de défis et d'hommages à ses mentors délirants. Il portera son œuvre «comme un calice» et insistera toute sa vie sur son aspect sacramentel. Le Père, le Fils et le Saint-Esprit, ainsi que Jakes McCarthy, informent chacun des mots qu'il a façonnés et polis. Plus prosaïquement, il aimait la confiture de mûres parce que la couronne d'épines du Christ était faite de bois de mûrier, et il portait des cravates pourpres pendant le carême.

CHAPITRE 4

La rébellion

DE TOUS LES GRANDS ÉCRIVAINS irlandais, Joyce est celui dont la relation au pays demeure la plus violente mais aussi la plus spirituelle. Celle de Beckett, un homme plus reclus, est sans équivoque : il fit de la France sa demeure, écrivit en français et, bien que son œuvre élégiaque porte en elle le souffle de la terre natale, il ne s'attendait pas que Foxrock, où il était né, s'inscrivît dans la conscience du monde. Joyce, oui. Son dessein était de réinventer la ville où il avait été marginalisé, moqué et rayé des cercles littéraires. Il serait le poète de sa race. Dans l'un de ses premiers vers, il se compare d'ailleurs à un cerf, chargeant de toute sa ramure.

J. M. Synge regrettait chacune des nuits passées hors de son pays, Yeats croyait que l'esprit des anciens lui revenait de droit à la naissance et constituait la source intérieure de sa poésie, alors que Joyce naquit avec pour tout héritage la vierge en plâtre de Fairview perchée comme une volaille sur un piquet, une odeur de légumes en décomposition et une confrérie d'âmes corrompues. Dire de cet homme qu'il était en colère est un euphémisme : c'était un volcan. Quiconque n'a pas connu pareil dénuement ni d'aussi pénibles circonstances ne peut comprendre ce que représente une telle épreuve pour un enfant. D'autant que la famille avait dégringolé dans l'échelle sociale, depuis une certaine aisance (des serviteurs, une table bien mise, du cristal taillé, un piano : tous les symboles de la classe moyenne) jusqu'à la rivière de Mountjoy Square, avec ses immeubles lugubres et fantomatiques où des enfants s'agglutinaient sur les perrons prêts à détaler comme de petites souris. Ce serait une disgrâce équivalant à celle de Humphrey Chimpden Earwicker dans Phoenix Park, une fois ébruitée la nouvelle de son forfait.

Le jeune James arpentait les terres boueuses de Fairview en se récitant la « prose vif-argent » du cardinal Newman, tentant de chasser de son esprit les querelles familiales, la bassine émaillée dans laquelle il se lavait et la pendule de la cuisine qui avançait d'une heure vingt-cinq. Dans son errance sur les chemins détrempés, il longeait des tas d'immondices, des arbres ruisselants, des boutiques, un atelier de tailleur de pierres rappelant l'esprit de son héros, Ibsen, et les docks où les bras noirs des grands bateaux évoquaient de lointains pays, lieux vers lesquels il désirait tant fuir. Il ne renonça jamais à la colère qu'il ressentait alors, à sa révolte à la vue du bloc gris de Trinity College, «lourdement planté au centre d'une ville ignare», ou de la statue de Thomas Moore, le poète national, couverte de vermine. Même la candide fleuriste l'incitant à acheter ses fleurs l'exaspérait, accroissant encore la fureur qu'il avait d'être pauvre. Aucune madeleine de Proust ne ferait revivre ce paysage austère. Ce qu'Auden dirait de Yeats : «En te blessant, la folle Irlande te fit poète», vaut aussi pour Joyce.

Les jésuites mirent sa mère en garde contre sa foi vacillante, le traitant d'impie parce qu'il refusait confession et communion. Elle sut inconsciemment qu'il était en état de péché mortel. Elle avait perdu toute influence sur lui. Alors qu'elle empaquetait ses vêtements achetés d'occasion pour son départ vers Paris, elle lui dévoila l'objet de ses prières : que l'éloignement lui apprenne ce qu'étaient le cœur et les sentiments. Il crachait sur la piété comme sur les sentiments. Cela l'énervait, le dégoûtait, tout comme son pays qu'il quittait, disait-il, par peur de succomber à la maladie nationale : le provincialisme, la philosophie de bas étage, la fausseté, la vacuité et les sentiments réservés exclusivement à Dieu et aux morts. Bien qu'il eût coupé les liens émotionnels avec sa mère, il fut hanté par son souvenir et lui garda rancune jusqu'après sa mort.

Les lettres qu'elle lui adressa à Paris sont pleines d'un désir de réconciliation et de reconnaissance. Il doit savoir qu'elle n'est pas aussi sotte qu'il le pense, et que malgré son ignorance elle espère et veut apprendre. Voilà une femme de plus de 40 ans, qui a perdu 5 enfants et s'occupe des 10 autres, dont le mari boit invariablement sa paye, et pourtant elle est capable de parler à son fils de ses ambitions et de ses perspectives d'avenir à lui. Elle se montrait d'une sollicitude touchante : il ne doit pas boire l'eau du robinet à moins qu'elle n'ait été filtrée ou bouillie ; elle lui enverra un autre mandat dès qu'elle le pourra. Qu'elle ait trouvé le temps et la force d'écrire ces lettres, bien que déjà gravement malade, ce qu'elle ignorait, les rend plus poignantes encore.

Ses lettres à lui oscillent entre l'arrogance et l'apitoiement sur soi. Il est malade, a froid et n'a pas les moyens d'acheter un réchaud à pétrole. Il n'a pas mangé depuis 48 heures. Une fois ses cours de médecine commencés, il aura besoin d'argent supplémentaire pour acheter une blouse blanche et des instruments de dissection. Il demande qu'on lui expédie des livres, un recueil de ballades anglaises ainsi que les livrets des opéras de Wagner, et fait dire à Stanislaus de récupérer ses livres qui sont au clou. Avec une belle inconscience, il lui cite le passage d'une lettre de son ami-ennemi Oliver St John Gogarty, dans lequel celui-ci rapporte qu'un de leurs amis communs considère qu'il y a quelque chose de sublime dans la solitude de Joyce. Elle lui câble l'argent qu'elle peut soutirer à son mari, quitte à priver les autres enfants de nourriture et de vêtements. Elle a dû vendre un tapis pour amasser la somme du prochain versement, et lui, plein d'insouciance, dit espérer qu'il ne s'agit pas du tapis neuf. Les yeux de la mère vont si mal qu'elle peut à peine voir. La jeune May a aussi des problèmes oculaires et elles ont toutes deux consulté à l'hôpital. Il lui conseille de se faire prescrire des lunettes, sans lui suggérer comment trouver l'argent nécessaire. Il la gronde d'avoir envoyé de l'argent un samedi car il a dû attendre au lundi pour le toucher. Qui plus est, les boutons de son pantalon sont décousus. Elle le supplie de ne pas s'inquiéter puisqu'elle va lui faire faire un nouveau costume. Il le veut bleu ; peut-elle y ajouter un chapeau en feutre de la même couleur ? Le bleu, pour lui si superstitieux, était une sorte de talisman. C'était la couleur de ses yeux et celle qu'il choisirait pour la couverture de la première édition d'*Ulysse*, ce livre « obscène » qui l'aurait tuée si elle n'avait été déjà morte. Pour ses frères et sœurs, son œuvre n'était rien moins qu'une trahison. Lorsqu'il parle du vert morve de la mer, la morve fait autant partie de son imaginaire quotidien que la mer, tout comme le sang des lentes écrasées par les ongles de la mère ; mais les familles ne voient pas les choses ainsi, elles ne le peuvent pas. Elles ne peuvent pardonner à l'écrivain de les mettre à nu et d'accroître ainsi la honte qu'elles ont d'elles-mêmes.

Que sa mère l'ait aimé comme un amant transparaît dans chacune des lignes qu'elle lui écrit ; en retour, il la traite cavalièrement. Le pudding qu'elle se propose de lui expédier doit être placé dans une boîte en fer solide et bien empaquetée afin de ne pas être ouverte par la douane. Il la gratifie parfois d'un remerciement, mentionnant avec bonne humeur un dîner suivi d'un cigare, puis des confettis lancés dans la rue un jour de carnaval. Il ne fait aucune allusion à l'alcool ni aux « *scorta* » — les prostituées qu'il fréquentait et dont il faisait, en latin de cuisine, des descriptions anatomiques obscènes à ses compagnons de débauche de la faculté. Ces « portraits » sont écrits sur des cartes postales montrant une photo de lui habillé d'un long manteau à la Rimbaud : l'image même du bohème s'abandonnant avec délices à la décadence parisienne. Son ami J. F. Byrne fut si choqué par ces billets scatologiques qu'il coupa temporairement les ponts avec Joyce. Sa punition vint plus tard lorsqu'il apparut dans *Portrait de l'artiste en jeune homme* sous les traits à peine déguisés d'un prélat vaniteux.

Pendant ce temps, Mme Joyce se faisait dire que son fils studieux enseignait, allait aux vêpres à Notre-Dame ou à Saint-Germain, lisait *La Métaphysique* d'Aristote, et qu'il comptait publier sa première comédie d'ici cinq ans et son « Esthétique » d'ici dix ans. Jamais elle ne remit en question ses affirmations arrogantes. En revanche, elle tenta d'atténuer les difficultés familiales et lui demanda d'écrire à son père qui se sentait exclu. Ses lettres constituent d'incroyables preuves de son amour pour lui, mais donnent aussi le premier aperçu du style échevelé et sans ponctuation qui deviendra la marque distinctive de Molly Bloom. Au sujet de son fils Charlie, elle écrit : « Ne parle pas de cette lettre de moi qui est uniquement pour son bien et privée, il croit implicitement en toi et à tout ce que tu lui dis. » On croit souvent que Nora Barnacle, la future fiancée puis l'épouse de Joyce, fut l'inspiratrice de Molly Bloom, mais, si en effet la libido de Molly vient de Nora, son flot ininterrompu de paroles émane en revanche de May Joyce. Lorsqu'elle abordait des sujets autres que lui ou la famille, elle faisait preuve d'aigreur. Elle l'incita à se faire des relations, influentes de préférence. Elle lui suggéra de cultiver l'amitié de Maud Gonne, qui venait d'épouser John McBride, ajoutant que le mariage et l'amour empêcheraient, bien entendu, Mme McBride de s'occuper d'affaires sérieuses. Elle entendait par là la politique, Maud Gonne étant une fervente nationaliste du Sinn Féin, de ceux que Joyce appelait les « véhéments ». Mère et fils partageaient les mêmes opinions sur la race humaine.

Monstrueusement indifférent à sa condition, il sembla s'en préoccuper uniquement lorsqu'elle fit vaguement allusion à sa santé défaillante. Peu après arriva l'inévitable télégramme, lapidaire et déchirant : « Mère mourante, reviens. » C'était un Vendredi saint et il dut emprunter le montant du billet à l'un de ses élèves. Sur le bateau, ce n'est pas à la mourante qu'il songe, mais aux boulevards de Paris, aux senteurs chaudes et humides des corps parfumés des prostituées, aux moteurs gris, aux côtes françaises embrumées et au balancement de la mer qui faisait naître en lui une musique. L'artiste avait pris le pas sur le fils.

La lente agonie de la mère — elle mourut d'un cancer —, tableau cruel et mélodramatique, fut aussi un moment décisif dans la vie de ce jeune homme hanté. Ses vêtements mortuaires déjà posés sur une chaise près de son lit, elle semblait cueillir des boutons d'or sur son édredon tout en parlant d'une voix absente à un médecin imaginaire. Baby, la cadette, qui avait neuf ans à l'époque, supplia qu'on la laisse entrer dans la chambre et John Joyce, ne sachant plus à quel saint se vouer, dit à sa femme qu'elle n'avait plus qu'à mourir et qu'on en finisse. Le frère de May demanda à James et à Stanislaus de s'agenouiller près de la mourante et de promettre de se confesser et de communier pour Pâques — ce qu'ils refusèrent. Joyce décrira la scène dans *Portrait de l'artiste*, lorsque Cranly morigène l'insensible Stephen parce qu'il refuse d'accéder aux souhaits de sa mère mourante, ce à quoi Stephen rétorque : « Je ne servirai point. » Interrogé sur sa foi, il n'affirme ni croire ni ne pas croire en l'Eucharistie.

Dans les affaires de sa mère, Joyce trouva les premières lettres d'amour que John lui avait écrites. Après les avoir lues tout à loisir dans le jardin, il décida qu'elles ne pouvaient lui être d'aucune utilité pour son œuvre à venir et les brûla en compagnie de Stanislaus. Ce fut une décision hâtive, d'autant plus si l'on considère que l'aspirant écrivain avait une âme d'archiviste et qu'il se vantera d'inclure dans ses livres ce que même les plus bavards ne se souvenaient plus avoir dit. On a suggéré que ces lettres contenaient un sombre secret. May serait revenue enceinte de son voyage de noces et, bien que cela n'ait jamais été dit ouvertement, certaines insinuations circulèrent à ce sujet.

La mort ne brûle ni ne détruit la mère gravée dans la mémoire ; dans son œuvre, la sienne viendra le tourmenter sans relâche, débarrassée de son suaire, ses yeux vitreux fixés sur lui par-delà la mort pour ébranler et faire plier son âme. Comme s'il était l'unique enfant, sentiment qu'il semble avoir ressenti, même s'il se présentait parfois sous les traits d'un enfant adoptif. Qu'il ait eu peur d'elle et ait tout fait pour réprimer cette peur ne fait aucun doute, mais son influence sur lui fut considérable. Le baiser lingual d'une prostituée, l'hostie sur la langue et la tendresse de sa mère furent les trois symboles qui se disputèrent son âme. Si elle n'était pas morte à ce moment-là, il lui aurait fallu la tuer pour écrire. Les relations des écrivains avec leur mère sont d'une profondeur inexplorée.

CHAPITRE 5

Les orphelins

Pour fuir huissiers et propriétaires — « leurs seigneuries » —, les nombreux orphelins entamèrent alors une succession de déménagements à la cloche de bois ; leurs biens s'amenuisaient au fur et à mesure de leurs migrations, jusqu'à ce qu'ils n'aient plus besoin que d'une charrette à bras pour transbahuter leurs maigres effets et les portraits des ancêtres Joyce. Pour se donner du courage lors de ces fuites nocturnes, le père menait la troupe en chantant :

> Emportera mon cœur vers toi,
> Emportera mon cœur vers toi,
> Le souffle des nuits embaumées,
> Emportera mon cœur vers toi.

L'argent venait de menus emprunts et de tout ce qui pouvait être mis en gage. Ils vivaient de thé et de pain frit dans le lard. L'atmosphère entre les hommes était tendue, leurs disputes fréquentes, particulièrement les lendemains de veille, leurs réparties cinglantes, dénuées d'affection, amères. Il y avait six sœurs dont la dernière, Baby, pleurait sans cesse sa mère disparue. Trois des hommes buvaient — John, James et Charlie, le plus jeune frère — tandis que Stanislaus ainsi que Poppy, l'aînée des filles, tâchaient de maintenir un semblant d'unité dans la famille. À 15 ans, elle devait toujours quémander l'argent à son père et prier pour qu'il rapporte une partie de sa pension à la maison les jours où il la touchait. James allait et venait. Il séjournait chez des amis ou des cousins, d'où il était souvent chassé à cause de ses mœurs. Il s'installa enfin chez son ami Gogarty, qui habitait la tour Martello, un ancien bastion construit par les Anglais contre les invasions napoléoniennes, dont le nom vient du cap Mortella en Corse. Son séjour fut de courte durée, extravagant et bien arrosé grâce aux fûts de bière brune hissés par l'échelle de corde qui servait d'escalier et faisait l'objet de nombreuses plaisanteries. Gogarty poussait Joyce à boire dans l'espoir de détruire son génie. Finalement, quand Samuel Trench tira un coup de revolver au-dessus du lit de fortune de Joyce, il provoqua la fuite d'« Ængus le vagabond » sous la pluie. Gogarty apparaîtra sous les traits du « majestueux et dodu Buck Mulligan » dans les premières lignes d'*Ulysse*, portant cérémonieusement un plat à barbe et psalmodiant « *Introibo*

ad altare Dei ». Jaloux depuis le début, Gogarty avait toujours l'impression d'être utilisé et prendra après la mort de
l'écrivain une détestable revanche.

Joyce, passé maître dans l'art de se procurer de l'argent,
eut l'idée de faire payer ses bons mots à ses camarades
étudiants. Autre stratagème, lorsqu'un ami ou une connaissance venait lui réclamer le remboursement d'un prêt,
il répondait, plein de logique : « Toutes mes molécules ont
changé. Je suis un autre maintenant. L'autre moi a empo-
ché la livre. » Il tenta même d'emprunter deux shillings au
père du poète Yeats, qui rétorqua, furieux, qu'il ne prêtait
pas d'argent aux ivrognes. Loin de se sentir embarrassé, il
tourna Yeats en ridicule, l'accusant de faire des histoires
pour rien. Il faisait beaucoup d'erreurs, mais disait qu'un
homme de génie n'en commet pas et que tous ses actes,
aussi ineptes et cruels qu'ils fussent, étaient des expériences. Il dut arrêter ses études de médecine faute d'argent,
mais peut-être manquait-il aussi de conviction. Il envisagea plusieurs fois au cours de sa vie de devenir chanteur,
acteur ou baladin. Il écrivit à Arnold Dolmetsch, qui avait
fait un psaltérion pour Yeats, de lui fabriquer un luth afin
qu'il puisse aller de Falmouth à Margate en chantant de
vieilles ballades anglaises, mais se vit opposer un refus glacial. Il concevait des plans absurdes. Pour lui-même
comme pour ses nombreux frères et sœurs, la réalité n'était
que « chieries », « tire-jus » et tartines de lard. Ses pantalons

d'occasion avaient dû appartenir à quelque «lèche-cul» vérolé et risquaient de l'infecter. La boisson, opium irlandais, était sa consolation. Seule la sainte chopine pouvait délier sa langue, mais, bien sûr, un excès de saintes chopines le laissait prostré dans son «vomi couleur de mûre, multicolore, multiple».

D'humeur instable, John Joyce passait facilement du pathos à la colère. Il pleurait sur la chère disparue comme il n'avait jamais pleuré sur elle de son vivant et tyrannisait les plus faibles de ses enfants. Dans son journal, Stanislaus dit avoir souvent vu son père assis à la table de la cuisine, à moitié ivre, grinçant des dents et marmonnant: «Mieux vaut en finir tout de suite.» En finir avec quoi? sa vie ou la leur? Il vécut en fait jusqu'à plus de 80 ans et ses dernières paroles furent pour son fils préféré: «Dites à Jim qu'il est né à six heures du matin.» Un astrologue de Dublin ayant appris ce détail de l'heure de naissance fit le thème astral de Joyce et lui prédit une vie pleine de risques. On ne pourrait trouver meilleure épitaphe. Alors que tous les autres enfants vivaient dans la peur de leur père, James s'en moquait. Il le voyait comme un «M. Murmure, tel le septième des sept voleurs, flétri, fumé, léger, gratteur, nigaud, sale et toujours scieur par la base». Séducteur, John exposait les photos de ses anciennes conquêtes; il rossa un jour sa femme May parce que la gouvernante, nommée Dante, les avaient brûlées. Il se vantait aussi de s'être guéri seul de la syphilis.

Originaire de Cork, fils unique d'un père lui-même enfant unique, John était le centre d'attention partout où il allait. Sa voix, aimait-il à rappeler à ses compagnons de boisson, avait été comparée à celle du ténor italien Campa nini, la coqueluche de Covent Garden et de New York. Quand il buvait, il devenait sentimental; il évoquait avec nostalgie l'époque glorieuse de sa jeunesse où il suivait les chiens de meute dans le comté de Cork ou excellait aux régates d'aviron de la baie de Dublin. Il était particulièrement fier d'une beuverie qui avait eu lieu pour fêter l'élection d'un indépendantiste, où lui et ses amis n'attendirent pas que le champagne fût débouché, mais brisèrent les goulots sur le marbre du comptoir. Son héros était l'iconoclaste et austère Anglo-Irlandais Charles Stewart Parnell, révéré en Irlande tel le «Christ ressuscité», le «Roi sans couronne», un Moïse menant le peuple irlandais vers la terre promise de l'indépendance. Ses discours à la Chambre des communes semaient la crainte chez les tories comme chez les libéraux. Sa liaison avec Kitti O'Shea — épouse d'un capitaine irlandais et mère de deux «bâtards» — provoqua pourtant sa chute en l'espace d'une nuit. Ses partisans et ses amis se détournèrent de lui, y compris Tim Healy, son secrétaire à Westminster. Le jeune Joyce, consterné, écrivit avec son père une ode intitulée «*Et tu, Healy*». Le clergé montra Parnell du doigt, et la foule lui jeta de la chaux vive au visage; le scandale fut tel qu'aucun membre de son parti n'eut plus aucune chance d'être réélu. Au moment des élections, le clergé prétendit que ses fidèles l'avaient chargé de voter pour eux puisqu'ils ne pouvaient lire les noms inscrits sur les bulletins. La carrière de Parnell était finie, et il mourut peu de temps après. Trente mille personnes assistèrent à ses funérailles, les plus imposantes jamais vues à Dublin ; comme le fit amèrement remarquer John Joyce : « Un Irlandais mort est plus populaire qu'un Irlandais vivant. »

En les terrorisant, John s'aliéna tous ses enfants sauf James, un pécheur comme lui. Stanislaus haïssait son père, son narcissisme, sa vanité et ses scènes terribles au cours desquelles il menaçait de leur briser le cœur — leur bon dieu de cœur et leur bon dieu de cul en même temps. Sa famille était son empire. Sa brutalité n'était sans doute pas pire que celle que connaissaient bien d'autres ménages de Dublin aux prises avec un manque chronique d'argent et trop de bouches à nourrir. John n'était pas insensible, mais ne savait que faire de ses émotions. Exercer sa domination lui permettait d'affirmer sa virilité. Il prenait le premier objet qui lui tombait sous la main — tisonnier, assiette, tasse — et le lançait à la tête de l'enfant qui avait eu le malheur de le provoquer. Les filles avaient si peur de lui qu'elles suppliaient Stanislaus ou James de ne pas sortir le soir, de ne pas les laisser seules avec ce père au tempérament explosif. C'est à Stanislaus qu'incombait la tâche,

James ayant déjà entamé une carrière de libertin, buvant, festoyant avec les autres carabins et fréquentant les bordels du quartier chaud. John jurait qu'il l'achèverait de trois coups de pied dans le cul, oh oui, de trois coups de pied, mais il s'agissait là d'une vaine fanfaronnade : son père ne pouvait le mater, car James s'était rendu invincible. Ils utilisaient entre eux le langage populaire de Dublin — pisse-au-lit, trou-du-cul, fils de pute, foutu nègre, foutu mulâtre.

Fils en révolte et filles sacrificielles, chacun pour son compte devait apprendre à se protéger des coups durs de la vie. Mais John aussi était livré à lui-même, c'était un homme brisé et désespéré. Le soir de l'enterrement de leur mère, alors que James s'était éclipsé au pub avec des amis, Stanislaus affronta son père, le blâmant non seulement pour la mort de sa mère, mais aussi pour celle de George, qui était enterré près d'elle dans le cimetière de Glasnevin, non loin de la tombe de Parnell. John répliqua à ces accusations avec le pathétique d'un Roi Lear. Stanislaus lui reprocha d'avoir pinté son argent au lieu d'avoir fait venir un bon médecin. Le père essaya de se défendre, énumérant les emprunts gagés sur ses propriétés de Cork pour soigner la famille tout au long des années, mais rien n'y fit. Mesurant alors la profonde rancœur de son fils, John lui dit simplement : « Tu ne comprends pas, mon garçon. » Sa dégringolade sociale continuait de l'éprouver, privé qu'il était du moindre luxe et de l'estime de ses anciens amis. La honte d'être pauvre est profondément ancrée dans le psychisme irlandais. La famine ne datait que d'une cinquantaine d'années, époque où l'on s'enfermait chez soi plutôt que d'être vu en train de mourir de faim. Vingt ou 30 ans plus tôt, des familles entières avaient été expulsées de chez elles et jetées sur les routes, leurs misérables foyers rasés. Le peuple irlandais ne rejetait pas la faute sur l'occupant anglais, mais se croyait seul responsable de ces terribles souffrances.

Lorsque John perdit son travail de collecteur d'impôts pour des irrégularités de conduite et d'écritures, ce fut le désastre! May tenta en secret de lui faire rendre son travail, en vain. La maigre pension dont il bénéficia dès lors les entraîna dans une succession d'emprunts, de meubles gagés, d'hypothèques sur ses trois petites propriétés de Cork et, plus humiliant que tout, son nom parut sur la liste noire des débiteurs dans le *Stubbs' Gazette* et le *Perry's Weekly*. Il en resta marqué toute sa vie, tout comme James, que les questions d'argent angoisseraient toujours, sans toutefois l'empêcher de mener une vie dissolue, et qui, même s'il avait été riche, se serait cru pauvre. Deux jours avant sa mort, en 1941, alors qu'il devait subir une intervention chirurgicale, il demanda plaintivement à son fils qui allait en assumer le coût. Les frais de ses obsèques, ainsi qu'une partie de celles de son père, furent réglés par sa bienfaitrice anglaise Harriet Shaw Weaver, l'une des femmes qui s'étaient donné pour mission de soutenir le génie de l'écrivain.

Dans sa jeunesse, James resta sourd aux lamentations de sa famille, conscient qu'elle risquait de le dévorer. Il était décidé à vivre pleinement, ou comme Stanislaus le dit : « Son but dans la vie, c'était de vivre. » Cependant, l'activité de son esprit était déjà prodigieuse. Il était connu dans les bars, jeune homme arrogant malgré ses vêtements râpés et ses vieilles chaussures de toile blanche, maître dans l'art d'éluder les questions, discourant sur Euclide, Thomas d'Aquin ou Nelly la Putain, menaçant ses adversaires de les épingler dans des vers satiriques. Il était si sûr de son génie qu'il écrivit à Lady Augusta Gregory, alors à la tête de la renaissance littéraire irlandaise, qu'il serait un jour « quel-qu'un ». On raconte que lorsqu'il rendit visite à W. B. Yeats, qui fêtait ses 37 ans dans un hôtel de Rutland Square, Joyce le plaignit d'être maintenant trop âgé pour apprendre quelque chose de lui. Son talent, disait-il, brûlerait « avec l'éclat dur d'une gemme ». Il était sans nul doute insupportable, mais avait aussi l'intensité profonde d'un poète, lui qui marchait dans la nuit violette « sous un règne d'étoiles brutes ». Il suscitait l'envie. Stanislaus jalousait sa clarté d'intention. Dans son journal, il relate tout ce que James faisait et disait ; il lui accorde un certain génie puis, se ré-tractant, le juge trop insouciant et instable. Stanislaus, sur-nommé « frère Stan » pour sa solennité, semble avoir pris sur ses épaules tous les malheurs et toutes les humiliations de la famille. Il reconnaissait que James se servait de lui comme un boucher utilise sa pierre à aiguiser. Quel terrible destin que d'avoir un frère aîné plus intelligent et qui, en outre, lui témoignait autant de considération qu'à un parapluie !

Dans son essai sur Jack Yeats, Samuel Beckett explique ceci : l'artiste qui met sa vie en jeu ne peut avoir de frère et vient de nulle part. C'est peut-être vrai de l'artiste mais non du frère : sa vie durant, Stanislaus persista dans l'idée qu'il méritait une part du renom de James. L'idée audacieuse de transcrire le flot ininterrompu des pensées, qui devait constituer l'innovation radicale d'*Ulysse*, vint à Joyce alors que, couché dans le même lit que son frère, ils parlaient par bribes comme on le fait juste avant le sommeil. Bien que James fût trop rebelle à ses yeux, Stanislaus voyait aussi en lui un « Yggdrasil », le grand frêne symbole de l'univers dans la mythologie nordique. Tout ce qui concernait son frère l'obsédait. Les premiers mots de son journal sont : « Jim est d'un caractère instable ; cela s'aggrave. Il engrange de nouvelles impressions, fait de nouvelles expériences chaque jour. Il est revenu ivre trois ou quatre fois ce dernier mois (est rentré malade et sale un dimanche matin, après avoir été absent toute la nuit)… » Dire de Stanislaus qu'il était obsédé par ce frère est un euphémisme : il voulait être James. Ce phénomène se retrouve dans plus d'une famille d'écrivains, l'étincelle de génie accordée à l'un et pas aux autres…

CHAPITRE 6

Les plaisirs

Dans le Dublin d'alors, la prostitution se pratiquait aussi librement qu'à Alger. Marins, officiers de l'armée britannique et simples soldats, qui venaient la nuit en voitures fermées, en étaient les familiers. Sans oublier les bons vieux carabins — parmi lesquels Joyce, l'étudiant déchu — qu'une impérieuse lasciveté entraînait dans le quartier chaud et poisseux de Ringsend Road, à la rencontre de la jolie Nelly, de Rosalie et de la putain du dock à charbon.

> J'ai donné à Nelly
> Pour s'la coller quéqu' part
> La patte du canard
> La patte du canard.

Il ne régnait sans doute pas dans ces bordels la fascinante atmosphère carnavalesque que Joyce leur prêtera plus tard, mais c'est là qu'il trouva enfin l'avilissement tant désiré. Le bordel qu'il décrit dans *Ulysse* est tenu par Bella Cohen, femme dont l'unique ambition est d'envoyer son fils à Oxford. Emporté dans une saturnale effrénée, Stephen Dedalus passe d'une fille à l'autre — celle aux dents en or, celle en blouse à manches gigot, celle encore qui porte un petit scapulaire de l'Agneau de Dieu pour se protéger du péché. «Aiguillonné et fessétouffé», il prend peu de plaisir à ces accouplements, n'éprouve à vrai dire que de la consternation. Les femmes sont trop effrayantes, trop menaçantes; même celles aux petites mains douces sont expertes en vivisection et capables de faire passer le derrière d'un homme par toutes les couleurs de l'arc-en-ciel. Enfer charnel! Stephen y rencontre sa mère morte habillée de gris lépreux, qui lui rappelle qu'elle pense à lui dans l'au-delà; cette vision lui arrache un furieux «Nothung!» et il fracasse une lampe d'un coup de canne.

S'aventurer dans la nuit sombre et secrète, observer les préparatifs des prostituées qui, tout en se coiffant, lui lançaient des œillades invitantes, et les entendre l'interpeller, était pour James les prémices de la tumescence. Stanislaus note dans son journal que la dénommée Nelly — celle-là même qui avait voulu prêter de l'argent à Joyce pour un concours de chant — l'accompagnait en tapant sur le pot de chambre tandis qu'il faisait ses gammes et chantait ses chansons favorites. On est loin du cérémonial d'une salle de concert ou du Kiltartan de Yeats, des épopées héroïques de la grande race des Fenians! Mais Joyce avait déjà la certitude de ce qu'il serait, et le mélange de force et de dissipation dont il fit preuve est stupéfiant. Il pensait sincèrement que l'État devait prendre en charge son immense appétit de vivre. Il aimait à se répéter le vers de Dowden : « Oh ! ne t'efforce pas d'exceller dans le malheur », qu'il citera souvent par la suite à Nora Barnacle, la femme aimée dont la famille de James s'ingéniait à penser qu'elle voulait le couper des siens, répugnant à admettre qu'il serait parti de toute façon. « Miss Barnacle a de très jolies manières, mais l'expression de son visage est un peu commune », note aigrement Stanislaus dans son journal. Joyce garda le secret sur Nora jusqu'à ce qu'il fût certain de ses sentiments pour elle.

Il continuait à écrire des fragments de *Stephen le Héros*, dans lequel le personnage de Dedalus se métamorphose en Protée, celui qui change de forme à volonté. Lors de ses promenades sur la grève de Sandymount, il engrangeait les images qui nourriraient son œuvre — œufs de poisson, varech, marées, carcasses rouillées, chercheurs de coques immergeant leurs sacs. Ces flâneries étaient immanquablement ponctuées de réflexions et de raisonnements, de remords pour sa mère disparue, de fantasmes peuplés de lestes gitanes et d'occasionnels spasmes de peur au souvenir des putains debout sous les porches qui cachent une « blancheur de démon femelle » sous des « loques rances ». Mais il pouvait tout aussi bien cogiter sur le bedonnant Thomas d'Aquin, le maigre et chauve Aristote, héritier de la fortune de son élève Alexandre le Grand, ou sur les prophéties de Joachim Abbas. Sa culture était prodigieuse. Richard Ellmann, son biographe, dit qu'à l'âge de 20 ans Joyce avait tout lu. Dévoiler « l'inéluctable modalité du visible », tel était le but de ce génie visionnaire. Qui peut le blâmer si, plein d'élan juvénile et de virtuosité, il se comparait à Parnell, Hamlet, Dante, Byron, Lucifer et Jésus-Christ ? Le sérieux et le désespoir viendraient beaucoup plus tard. La Toison d'or était sienne. Il l'avait subtilisée à l'insu de ses pairs, et il deviendrait le dragon qui la protégerait des prédateurs.

Joyce croyait aux présages, les noms et les chiffres avaient pour lui une signification particulière, et il voyait des augures inscrits dans le passage d'une étoile filante ou le vol des oiseaux de mer. La jeune femme qu'il allait rencontrer portait le nom d'une oie sauvage : Nora Barnacle. C'était une fille de Galway qui s'était sauvée de chez elle après avoir été brutalisée par un oncle jaloux parce qu'elle fréquentait un jeune protestant. L'encyclopédie dit des bernacles, ou barnaches, qu'elles sont des « vertébrés à sang chaud, possédant un cœur à quatre cavités et des membres qui se sont métamorphosés en ailes». Un plumage aussi fantasmagorique que celui qui couvre la caverne de Calypso : une fille de Galway sortant tout droit de l'épopée d'Homère. Joyce désirait s'accoupler à l'âme sœur. Il semble que nous obtenions parfois ce que nous désirons.

CHAPITRE 7

Nora

POUR TROUVER L'ÂME SŒUR, Stanislaus disait que James aurait dû naître ailleurs qu'en Irlande. Il se trompait. N'était-elle pas vive, la Nora Barnacle aux cheveux auburn qui entra dans sa vie un 10 juin, alors qu'il descendait Nassau Street en tennis usées, scandant ses pas avec sa canne de frêne ? Ils s'arrêtèrent pour parler. Qu'elle compare ses yeux bleus à ceux d'un Scandinave le séduisit, lui qui se targuait d'avoir du sang danois. Il avait 22 ans, elle 20. Ils se donnèrent rendez-vous à quatre jours de là au coin de Merrion Square, devant la maison de Sir William Wilde. Planté au carrefour, Joyce pouvait la voir arriver de toutes les directions, mais nulle Nora ne remonta la rue ni ne sauta d'un tram. Il lui écrivit le soir même pour lui dire qu'il avait longuement contemplé une chevelure auburn avant de conclure à regret que ce n'était pas la sienne.

Pouvaient-ils se fixer un autre rendez-vous ? Bien que le ton fût enjoué, on y sent une grande détermination.

Comprendre la montée du sentiment amoureux chez les êtres est presque impossible, mais, dans le cas de James Joyce, c'est particulièrement déconcertant. Dans son cas, il n'y eut aucune des étapes qui mènent normalement à la formation d'un couple, ni fiançailles, ni même consultation des familles. Bien qu'il n'ait jamais connu que des prostituées, il rêvait de la femme idéale qu'il vénérerait religieusement sur son piédestal. Les femmes étaient telles des rivières qui suivent inéluctablement leur cours. Exultation. Idiosyncrasie. Destin. Il se demandait ce que n'aurait pas accompli César s'il avait écouté le devin et sa femme Calpurnia au lieu de se rendre au sénat aux ides de Mars. C'était écrit. Il était fatigué de l'amour vénal, et les prostituées étaient de piètres conductrices de sentiments. Ce n'est donc pas une fille de passe qui allait mettre à nu les entrailles de son âme, mais une fille de Galway, quasi illettrée, qui avait eu suffisamment de cran pour quitter sa famille et trouver à s'employer comme femme de chambre à l'hôtel Finn de Dublin.

En elle, Joyce chercha et trouva la sombre et informe terre-mère, nimbée par le clair de lune. Il était de Dublin, elle de Galway ; elle apportait ses refrains, ses histoires, ses sorcelleries faisant écho à ses ancêtres, l'autre moitié de l'Irlande — terre, ténèbres, orties gris lune, clans guerroyants et les

eaux rebelles du Shannon. Yeats prétendit que tous ses
ennuis commencèrent lorsqu'il tomba amoureux de Maud
Gonne. Pour Joyce, c'était l'inverse, cette jeune fille lui lançait une sorte d'appel impérieux. Ils se revirent quelques
jours plus tard, le 16 juin — rencontre si importante et
lourde de conséquences pour Joyce qu'il devait choisir
cette date comme cadre temporel d'*Ulysse*, date que le
monde entier connaîtrait sous le nom de Bloomsday,
d'après le nom de son héros Leopold Bloom.

Les lettres qu'il lui écrivait le matin lui parvenaient
avant midi, permettant une réponse le soir même. Nora
courait les lire dans la solitude de sa chambre ou des toi-
lettes et y trouvait toutes sortes d'instructions : elle devait
laisser son corset dans sa chambre, car il était aussi rigide
que l'armure d'un dragon. Elle devait venir le rejoindre
sans jupon pour recevoir sa bénédiction papale — pouvoir
d'indulgence dont Pie X l'avait investi ! Elle devait savoir
que c'est des fontaines bourbeuses que les anges font surgir
un esprit de beauté. Il buvait sa rosée. Bien qu'elle insistât,
il ne pouvait lui dire qu'il l'aimait. Il lui parlait seulement
de son désir, de son attachement, de l'admiration et du
respect qu'il lui vouait et il lui disait aussi qu'il voulait faire
son bonheur. Si ce n'était de l'amour, c'était une impérieuse nécessité ! Elle devint le sein qui le protégerait de
Dieu et de la mort — « Comme je hais Dieu et la mort !
Comme j'affectionne Nora ! »

Il était, sans le savoir, un homme engagé ; son ancienne vie de débauche l'attendait encore s'il choisissait d'y entrer, mais il sentait qu'elle ne lui offrirait pas la même ivresse qu'auparavant. Aucun être humain ne lui avait été aussi proche que Nora. Il la respectait infiniment ; pourtant, il voulait autre chose que de chastes baisers. Dans la lettre suivante, il se contredisait. Il ne ferait pas d'elle une simple partenaire sexuelle. Elle devait comprendre qu'il avait quitté l'Église catholique, qu'il haïssait passionnément cette institution dont ses pulsions naturelles l'avaient exclus, et qu'en outre il la combattrait ouvertement et sans remords. Il se répandait en injures contre les amis qu'il soupçonnait de l'avoir trahi et disait avec mépris que ses frères et sœurs ne lui étaient rien. Chaque jour, il s'attachait davantage à Nora, voulait tout savoir de Galway et de ses environs — bois, champs, bétail, fleurs, elle-même et ses amies se déshabillant dans les collines ensoleillées ; il comparait leurs corps à des roses sauvages.

Il essaya de s'identifier à elle : au couvent, quand les sœurs de la Charité la préparaient à sa première communion, lorsqu'elle avait accepté le rendez-vous d'un homme plus âgé et que, plus tard, elle s'était cachée avec une amie dans l'église pour dévorer le chocolat que cet homme lui avait offert. Son oncle l'avait corrigée pour sa conduite. Joyce voulait tout savoir d'elle dans les moindres détails, la dépouiller de tout masque et de tout vêtement, voir à travers elle, connaître son être secret. Elle ne se déroba pas. Elle était contente de décrire ses menus réconforts d'enfant, ses jarretières, ses bracelets et ses broches en forme de muguet. Il s'amusait au récit de ses espiègleries — couvrir ses cheveux auburn d'un bandeau, revêtir des vêtements d'homme et se tenir sur un tas de fumier en mâchant du chou cru dans l'espoir d'entendre le nom de son futur époux. Le tout premier soir, elle avait glissé la main dans son pantalon et ses caresses avaient, dira-t-il, « fait de lui un homme ». Cependant, il comprit qu'il l'avait insultée en lui demandant de plus grandes faveurs les nuits suivantes et vit dans ses yeux « une terrible mélancolie d'avant l'âge ». Elle était sa précieuse chérie, sa Nora boudeuse, sa petite tête brune, mais aussi sa terre-mère nimbée de l'éclat de la lune et seulement à demi consciente de ses innombrables instincts fluides. Il adorait sa voix douce. En sa compagnie, il abandonnait sa nature méprisante et railleuse. Il l'invita à venir l'écouter à un concert, et à sa grande honte il dut lui-même pianoter tant bien que mal parce que l'accompagnateur lui avait fait faux bond. Il chanta notamment *Down by the Salley Gardens*, ballade dans laquelle une jeune femme sûre d'elle prie son amoureux de ne pas prendre l'amour trop au sérieux. Sans le savoir, il était gagné par ce « malencontreux phénomène » qu'on appelle l'amour.

Pour se distraire, ils faisaient de longues promenades, n'ayant pas les moyens de s'offrir autre chose. Il ne cessait

cependant jamais d'observer ce qui l'entourait — les tours
de garde, les eaux murmurantes et poissonneuses, et l'em-
prise que conservaient les morts. Il ne devait cependant
transcrire ses impressions sur le papier que bien longtemps
après. Il voyait et notait tout : l'immense espace du ciel, le
violet toujours changeant du soir, les sombres jardins dé-
gouttant d'eau avec leurs fosses à cendre, les plates-bandes
détrempées, les écuries où les cochers brossent les chevaux,
et le mouvement de la mer, les algues, le sable tiède, les
vaguelettes, les galets, le reflet des nuages qui passent. Le
lendemain, Nora lui écrivit qu'elle se sentait vraiment elle-
même en sa compagnie, que son esprit quittait son corps
pendant son sommeil et que la solitude qu'elle ressentait
loin de lui disparaissait toujours en sa présence. Il sut tout
de suite que ce style ampoulé ne pouvait être celui d'une
fille de la campagne qui invoquait des sortilèges, faisait les
lits et vidait les pots de chambre pour gagner sa vie. Il avait
deviné juste. Elle avait copié une lettre dans un manuel de
savoir-vivre. Il ne l'en aima que plus — « Dieu se fait
homme se fait poisson se fait barnacle se fait édredon ».
Nora personnifiait « l'âme la plus belle et la plus simple du
monde ». Ses baisers étaient semblables au chant des cana-
ris. Il était son frère dans la luxure, son frère des Écoles
chrétiennes, son juif agonisant. Plus il la voyait, plus il
éprouvait le besoin de lui dire combien il détestait et désa-
vouait l'Église, le besoin de lui raconter qu'il avait fait la vie

avec les filles. Elle ne voulait pas savoir ; mais il le fallait : elle devait savoir que cohabitaient chez lui grandeur et imperfection, qu'il avait volontairement pénétré l'ordre social irlandais en vagabond. Il était tantôt Stephen l'acolyte, tantôt Bloom le débauché, s'intéressait un jour à ses dessous, le lendemain à son âme, et projetait le surlendemain (mais sans vraiment y croire) de s'enfuir avec une troupe de théâtre. Mais déjà il était lié à elle. Le proverbe que Lermontov cite dans *Un conte turc* vaut pour Joyce : « Ce qui est écrit sur le front d'un homme à sa naissance, il n'y échappera pas. » Peut-être étaient-ce ses yeux d'épagneul ; elle avait du charme et était à blâmer pour l'avoir ensorcelé. Il dormait avec son gant à côté de lui et convint qu'il s'était, tout comme sa propriétaire, très convenablement conduit. Il voulait lui acheter une paire de gants neufs, mais où trouver l'argent ? Il espérait être payé pour une nouvelle à paraître dans l'*Irish Homestead*, journal qu'il avait rebaptisé le « journal des cochons ». Il tapait les gens au nom du Christ crucifié et se heurtait à nombre de refus, tous synonymes de malheur.

Il savait qu'en s'attachant à une fille aussi peu éduquée, il offenserait sa propre famille et devrait se battre contre les forces religieuses et sociales de l'Irlande. Elle lui avait cependant promis de rester à ses côtés dans cette vie hasardeuse et cela le remplissait de fierté et de joie. Il projetait déjà de quitter l'Irlande avec elle et avait répondu à une annonce pour un poste d'enseignant à l'École Berlitz dont il attendait la réponse impatiemment. C'était à Paris qu'il espérait retourner et il s'amusait à l'idée du bruit que ferait à Dublin la nouvelle de sa vie scandaleuse avec Nora au Quartier latin.

Il se lança alors dans un opiniâtre travail d'« emprunt ». Il rechercha de l'aide auprès des cercles littéraires qu'il avait fustigés. Il demanda à Yeats s'il était possible de collecter des fonds pour lui auprès de l'Abbey Theatre, mais se vit opposer une fin de non-recevoir. Il quémanda cinq livres à Lady Gregory pour l'aider à s'installer à l'étranger ; elle lui réclama des preuves concrètes de son projet d'enseigne-ment ; hérissé, il lui répondit : « Je construirai ma propre légende et m'y conformerai. » Elle céda et lui envoya l'argent. À d'autres, il demanda quelques shillings, des panta-lons, des vieilles paires de chaussures. À un ami, il suggéra de subtiliser dans le magasin paternel une brosse à dents, de la poudre dentifrice, une brosse à ongles, une paire de bottes, un manteau et une veste. Il supposa que Nora trou-verait sa propre brosse à dents et son dentifrice. Nora, elle, espérait toucher un petit héritage de sa grand-mère de Galway, qui ne vint pas. Ayant entouré leur fuite du plus grand secret, ils se rendirent séparément au bateau postal qui les attendait au North Wall. Nora devait se glisser sur le bateau sans être vue. Sur le quai, la famille Joyce s'était réunie pour l'inévitable verre d'adieu. Ignorant son stratagème, contrairement aux frères et sœurs de James, John lui remit la somme de sept livres tout en lui prédisant un avenir grandiose.

Il y eut quelques applaudissements. Plein d'une feinte sincérité, Gogarty prétendit que «le contact de la main disparue» allait lui manquer. Le principal de Trinity College, un certain Pentland Mahaffy, y alla d'une sorte de nécrologie : comparant Joyce aux gamins des rues qui crachent dans la Liffey, il se réjouit de son départ mais ajouta que Joyce ne quittait pas sa ville natale sans avoir «marqué son territoire». Pour le jeune écrivain de 22 ans, l'Irlande allait devenir le ferment de son imagination et la mémoire de l'exil, ses deux piliers.

CHAPITRE 8

L'exil

Nora eut à Londres un avant-goût de ce que serait sa vie. Joyce se rendit chez Arthur Symons, un ami de Yeats, pour discuter de la publication de son recueil de poèmes, *Musique de chambre,* pendant que Nora attendait dans un parc en se demandant si son « Scandinave » reviendrait jamais. Ils partirent le soir même pour Paris avec pour tout bagage une valise et quelques livres. Ce fut pire encore à Paris : Joyce la laissait seule pour tenter de soutirer à de vieilles connaissances le prix des billets pour Zurich. Il répugnait à la présenter à ses amis du monde littéraire. Son père avait alors appris la terrible nouvelle, objet de toutes les conversations dans les pubs de Dublin ; la trahison de son fils le faisait enrager, mais aussi les conséquences de cette liaison — un avenir brillant « balayé d'un coup », assurait-il.

Ils arrivèrent à Zurich pour apprendre qu'il n'y avait pas de poste vacant à l'École Berlitz; Miss Gilford, du Lincolnshire, les avait trompés. Ils réussirent à trouver une chambre dans une pension de famille au nom prometteur — «Espoir». C'est là que leur liaison fut consommée. Joyce, qui n'avait pas encore coupé le cordon avec sa famille, écrivit à Stanislaus que Nora n'était plus vierge, qu'elle avait été «touchée». Le double sens de cette formule ne peut leur avoir échappé. Dans un moment de folle jalousie, il remettra en question les traces de sang sur le drap et, plus tard, fera dire à Molly Bloom qu'une femme peut simuler la virginité avec quelques gouttes d'encre rouge ou de jus de mûres. Ils partirent ensuite pour Trieste où, là non plus, aucun travail n'attendait Joyce; ses talents de tapeur furent mis à rude épreuve. Il trouva deux élèves auxquels donner des leçons d'anglais. Comme toujours, il y eut des incidents. Il faillit être renvoyé en Irlande, s'étant fait arrêter alors qu'il s'interposait entre des marins anglais ivres. Malgré l'instabilité de leur situation, il réussit à écrire le douzième chapitre de *Stephen le Héros* et commença une nouvelle intitulée *Nuit de Noël*.

Le directeur de l'École Berlitz, qui les avait pris en pitié, trouva rapidement à Joyce un poste à la base navale de Pola, à 250 kilomètres de Trieste. L'employé de Berlitz chargé de les accueillir raconta qu'il avait hésité entre le suicide et le meurtre à la vue de ce couple en loques traînant une valise crevée d'où dépassaient des vêtements. L'«épousée» portait une veste d'homme trop grande et un chapeau de paille. Joyce était dans son élément dans ce milieu polyglotte où l'on parlait italien, serbe et allemand — langues dont on trouvera des traces dans son œuvre. Pour Nora c'était autre chose. Elle se sentait perdue loin de chez elle, sans personne vers qui se tourner sauf son seigneur rebelle. Comme professeur, «James Joyce, bachelier ès arts», se distingua par ses nombreuses idiosyncrasies. Ses employeurs le jugeaient doué mais prétentieux et absurde, plein de contradictions, fragile, hystérique, raffiné et ascétique, et néanmoins attiré par le sordide. Ils s'aperçurent vite de son irrésistible penchant pour la boisson.

Il écrivait presque quotidiennement à Stanislaus, lui envoyait des nouvelles et des extraits de son roman, reconnaissant qu'il était le seul à le prendre au sérieux. Ses doléances devinrent plus fréquentes. Nora avait le mal du pays, se sentait seule lorsqu'il sortait et était incapable d'apprendre les langues étrangères. En la rabaissant, il cherchait en quelque sorte à se faire pardonner des siens. Comme il le savait bien, il ne pouvait être dans les deux camps à la fois, c'était elle, ou c'étaient eux. Sa famille avait-elle fait paraître un avis de recherche dans les journaux? Les filles qui avaient travaillé avec elle à l'hôtel la trouvaient-elles «morveuse»? Stanislaus se vit confier certains des secrets les plus intimes de Nora — ses premières amours, la tentative de séduction par un jeune prêtre aux cheveux noirs et bouclés, la correction administrée par un oncle qui s'acheva dans une sorte d'orgasme. Pour quelqu'un qui voyait des trahisons partout, Joyce ne se privait pas d'en infliger aux autres. Stanislaus reçut aussi la désagréable mission de dénicher de l'argent pour son frère. Il devait en outre lui envoyer des journaux, ses premières « Épiphanies », la clef d'une malle qu'ils ne pouvaient ouvrir, son diplôme, ses partitions musicales, la *Vie de Jésus* de Renan, le certificat de naissance de Nora et une copie du testament de sa grand-mère qui se trouvait aux archives du tribunal de Dublin. Ces lettres seraient impardonnables si l'on n'y sentait un homme poussé à bout par l'isolement, chroniquement à court d'argent, occupé à enseigner l'anglais et à apprendre l'allemand, mais souffrant de solitude intellectuelle et n'ayant personne d'autre que ce frère à qui demander une opinion sur son travail avant qu'il ne soit confié à Curran et à Cosgrave, deux amis envieux. Il apprendrait bientôt que sa fugue amoureuse avait surpris tout le monde et que George Russell, son ancien éditeur, lui souhaitait de crever de faim au moins quelque temps.

Dans ses lettres, Joyce ne laisse rien transparaître de son adoration pour Nora, de la crainte qu'il éprouve au moindre de ses regards désapprobateurs, de ses supplications pour qu'ils ne cèdent pas au malheur. Nora avait indéniablement un grand pouvoir sur lui, et son art consommé de l'amour n'y était pas étranger. Mais en société, elle constituait un handicap. Les collègues de Joyce ne comprenaient pas ce qu'ils faisaient ensemble — l'un d'eux alla jusqu'à la faire pleurer dans un restaurant.

Il gagnait deux livres par semaine en enseignant l'anglais et l'italien à des officiers de la marine autrichienne. Il attendait impatiemment le jour où il pourrait acheter un nouveau costume ou se faire soigner les dents. Ils se levaient à neuf heures, partageaient un chocolat, déjeunaient dans une *locanda* voisine et, s'ils en avaient les moyens, s'offraient un dîner à huit heures. Ils fumaient du tabac turc qu'ils roulaient eux-mêmes. Lorsque Nora tomba enceinte, Joyce envisagea vaguement de la quitter. Il écrivit à Stanislaus que quelque chose le préoccupait et qu'il devait concrètement se préparer à y faire face. Nora le sentit-elle ? Nous ne le saurons jamais. Elle faisait dire à Stanislaus « qu'elle demandait de ses nouvelles », traçait des X pour « baisers » au bas des lettres. Elle était tantôt enjouée, tantôt morose !

Souvent, pour exciter Joyce, elle essayait plusieurs pantalons de dentelle devant l'armoire à glace tout en chantant :

> Le vieux Tom Gregory
> avait une grande ménagerie…

Elle léchait la confiture collée au papier qui recouvrait les pots et le régalait d'expressions irlandaises amusantes. Elle avait cependant un côté plus sombre : celui de la jeune fille désemparée qui se cache pour pleurer. Elle avait peur de sortir seule dans la rue, craignant les insultes, parlait 30 mots de dialecte triestin, ne pouvait apprendre le français et détestait la cuisine italienne qu'elle n'arrivait pas à manger sans se salir. Après l'avoir rencontrée, le directeur de l'École Berlitz dit qu'elle n'était pas digne de Joyce. Mais de l'avis du principal intéressé, il n'y avait que les soi-disant intellectuels et les féministes pour croire que la femme était l'égale de l'homme. Malgré son ton facétieux, les problèmes étaient bien réels. La chaleur oppressait Nora et lui ôtait toute énergie, le froid lui donnait des engelures. Le chant de la bouilloire sur le coin du fourneau lui manquait souvent. Elle se morfondait. Il avait peur qu'elle lui sape sa gaieté naturelle. Jeune cendrillon vêtue d'une courte robe brune, Nora savait séduire le corps de l'homme qu'elle aimait, mais son esprit restait pour elle insondable. Il se rendait compte qu'elle était « l'une de ces plantes qui ne supportent pas d'être transplantées ». Il se demandait à quelle étrange créature morose elle allait donner naissance et la regardait avec pitié essayer en vain de copier un patron de layette. Il pensa la quitter lorsqu'il crut apprendre, à tort, qu'Ibsen avait abandonné sa femme. Ils passèrent des soirées de

terrible mélancolie ; au cours de l'une d'elles, il fut touché
de l'entendre citer l'un de ses poèmes : « Écoute le récit, /
Chère, de ton amant. » Bien qu'elle ait estropié la citation,
elle lui avait miraculeusement redonné confiance en son
génie de poète. Leurs froids servaient aussi d'impulsion à
leur désir. Mais il était anxieux. Il laissa entendre à
Stanislaus qu'il reviendrait peut-être en Irlande, car il ne
supportait plus cet exil humiliant qui ne lui apportait
rien de ce qu'il avait espéré. Il avait terriblement envie
d'une tranche de gigot bouilli accompagnée de navets et
de carottes. Il ne se voyait aucun avenir avec Nora et
n'était pas de ceux qui peuvent se satisfaire d'une « tolé-
rance mutuelle » entre époux. Qu'elle fût enceinte ne faisait qu'accentuer ses incertitudes. Tout en songeant à une
séparation, il proposa pourtant à Stanislaus de louer tous
les trois un joli cottage dans la banlieue de Dublin, en
ajoutant au projet maints détails idylliques. Il avait pardessus tout besoin de parler à quelqu'un, car il avait touché
le fond de l'ennui. Stanislaus viendrait-il, ne serait-ce que
pour une semaine, afin qu'ils puissent parler de choses
sérieuses ?

Ils pensaient que l'enfant naîtrait en août, mais — ce
qui n'a rien de surprenant — ils se trompaient dans leurs
calculs. Un jour où Joyce partait se baigner, Nora fut prise
de fortes douleurs qu'ils attribuèrent à une indigestion.
Leur propriétaire appela la sage-femme. Six heures plus

tard, Joyce berçait son fils en lui chantant des airs d'opéra et prédit qu'il hériterait de la belle voix de ses père et grand-père. Espoir qu'il n'abandonna jamais.

Lorsqu'aux premières heures du jour le télégramme «Fils né Jim» parvint à Dublin, toute la famille pleura de joie. Stanislaus écrivit qu'il s'était senti comme au matin de Noël (on était en juillet) et qu'il avait été chargé d'annoncer la nouvelle à Curran, leur père ayant trop fêté l'événement. John Joyce emprunta un livre pour l'envoyer à son fils. On fit montre de part et d'autre d'une émotion et d'une affection inhabituelles. James dit avoir ressenti une joie enivrante : c'était là l'événement le plus important d'une vie d'homme, mais il redoutait désormais l'avenir.

Les matins de Noël et leur gaieté ne durent pas. Nora dut rapidement reprendre des commandes de blanchissage — chemises, blouses, gilets et autres morceaux dont elle fit la liste au dos du feuillet d'une nouvelle à laquelle Joyce travaillait. Cette nouvelle, intitulée *Un petit nuage*, dépeint la tension qui s'installe dans un couple dont l'amour faiblit ; le mari se sent prisonnier et ne supporte plus les pleurs de leur enfant. Des années après, dans *Finnegans Wake*, deux blanchisseuses se raconteront avec délectation les vices et les méfaits de leurs clients. Mais Nora Barnacle n'avait pas d'amie blanchisseuse à qui se confier, elle n'était proche de personne hormis son mari, et ce, au lit principalement. Désenchanté par la vie domestique, Joyce embrassa

Annie Schleimer, une de ses élèves, allant jusqu'à lui parler de mariage. Lorsque le père de la jeune fille l'apprit, il mit aussitôt fin aux leçons.

Aux yeux de ses élèves, Joyce passait pour un anarchiste — bon vivant, excentrique, impie. Il les amusait avec ce qu'il appelait des « vignettes » : le directeur de l'École Berlitz était une insatiable éponge qui absorbait le cerveau de ses professeurs et les martyrisait dans leur chair. Telle femme avait une jolie petite poitrine, mais sa conscience était aussi vaste qu'un égout. Pour développer leur personnalité, il leur suggérait de suivre son exemple et de boire 14 verres d'absinthe à jeun ! Tous les hommes politiques étaient des bandits ; les feuilles d'impôts, de vulgaires morceaux de papier sur lesquels noter de petits riens. Selon lui toujours, le Dublinois type passait son temps dans les pubs et les bordels à macérer dans les brumes de whisky et les rêves d'autonomie. Les Irlandais, condamnés à s'exprimer en une langue qui n'était pas la leur, lui avaient imprimé la marque de leur génie propre et rivalisaient de gloire avec les nations civilisées. C'est ce qu'on nommait la littérature anglaise. Bien des années plus tard, Samuel Beckett irait plus loin encore en déclarant : l'Église catholique et les Anglais « en baisant [les écrivains irlandais] les ont propulsé vers la gloire ».

Malgré ses railleries sur les ivrognes irlandais, Joyce n'en restait pas moins fidèle à la tradition, usant son fond de culotte dans tous les bars et se traînant chez lui au petit matin. C'était sa façon de pratiquer le contrôle des naissances ; dans l'une de ses homélies, il avertit son épouse : « Non, non, Nora, ma fille, j'ai peu de goût pour ce petit jeu » — par quoi il entendait le sexe et la procréation. Quelques nuits plus tard, c'était une autre histoire, il voulait s'abîmer au plus profond de son être. Il fréquentait de minuscules tavernes appelées « Trou dans le mur » et restait souvent étendu dans le caniveau jusqu'à ce qu'un bon samaritain le ramène chez lui. L'un de ses collègues, Alessandro Francini-Bruni, se compara à Simon de Cyrène portant la croix d'un Jésus ivre. Lors des beuveries, on pouvait entendre Joyce chanter « De ce nectar buvons encore, j'ai perdu la clef de chez moi ». Les remontrances étaient vaines.

Bien décidé à n'en faire qu'à sa tête, il n'écoutait personne. Francini-Bruni disait que Joyce s'autodétruisait avec une froide préméditation. Nora dut s'aguerrir contre les multiples facettes contradictoires de sa personnalité. Elle menaça souvent de le quitter et le fit parfois. Mais elle dépendait entièrement de lui, ayant coupé les ponts avec sa famille et ses amis de Galway, où elle passait maintenant pour une pécheresse. Il jurait de ne plus boire, mais recommençait le lendemain. Son esprit ne connaissait jamais de repos, sa tête bourdonnait d'idées discordantes qui se métamorphosaient en de magnifiques séquences de prose ; issues de la fange, elles s'élançaient vers les plus hauts sommets de l'ascétisme. Selon Francini-Bruni, Joyce était un homme fragile, hystérique, tourmenté intérieurement et qui pleurait souvent sa terre natale et les milliers de malheureux qui y avaient souffert au cours des siècles. Il méprisait la politique, les monarchies, les républicains, les rois et les papes, ne s'inclinait devant personne. Bavard ou laconique, ses lèvres « comme un trait dur », il se plaisait à ridiculiser son entourage.

Il ne cessait de supplier Stanislaus de le rejoindre afin d'avoir un véritable interlocuteur. Comme celui-ci hésitait, Joyce insista : lui-même, Nora, le petit Giorgio et le « cher et doux Stanislaus » fonderaient un vrai foyer. James et Nora vivaient maintenant à Trieste : il travaillait à l'École Berlitz et avait obtenu un poste d'enseignant pour son frère. En mettant leurs ressources en commun, ils pourraient s'installer confortablement et même acheter un piano. Les tactiques de séduction variaient d'une lettre à l'autre. Stanislaus arriverait juste à temps pour le vin nouveau et les châtaignes grillées. En dernier ressort, James lui envoya 40 couronnes pour qu'il s'achète des vêtements neufs à cause des collègues snobs.

Stanislaus dut faire 30 heures de mer puis deux jours de train pour traverser toute l'Europe jusqu'à Trieste. Il avait été malade pendant la traversée, avait eu faim le reste du voyage. James l'accueillit abruptement : « Tu as tellement changé que je ne t'aurais pas reconnu dans la rue. »

Lorsqu'ils arrivèrent à l'appartement, il lui révéla qu'il ne leur restait qu'un *centesimo* pour vivre. Chaleureux accueil! Nora se méfiait de Stanislaus comme de tous les membres de la famille Joyce. Stanislaus, jeune homme de vingt ans aux mœurs sobres, comprit vite qu'il n'était pas le bienvenu dans un si petit appartement où il y avait un bébé et où les disputes de la journée alternaient avec les réconciliations amoureuses de la nuit. Ce n'était pas le frère qui avait été convoqué mais le subalterne... Joyce, qui passait par l'une de ses périodes les plus outrancières, lui adressait à peine la parole. Le mariage, institutionnalisé ou pas, n'était pas de son goût : il était inutile d'en discuter. Il buvait son salaire, celui de Stanislaus et tout argent sur lequel il pouvait mettre la main, puis, pour se faire pardonner, offrait à Nora un cadeau avec le peu qui restait. Il courut un soir lui acheter un foulard en soie avec l'argent du dîner. Un jour que Nora lui écrivait une lettre le menaçant une fois de plus de repartir pour Galway avec Giorgio, Joyce lui suggéra froidement d'essayer d'utiliser les majuscules à bon escient. Il fera preuve de moins d'intransigeance envers lui-même lorsqu'il rédigerait le long soliloque de Molly Bloom.

Le manque de nourriture, le harcèlement des créanciers, l'attitude de Joyce qui les faisait patienter en jouant du piano tandis que Stanislaus courait emprunter de l'argent à l'un ou l'autre de leurs collègues, tout cela rendait l'atmosphère familiale irrespirable ; quand bien même, avec le recul, cela ressemble à une comédie, pour chacun d'eux ce fut une rude épreuve.

Dans son journal, Stanislaus note qu'il les sauva plus d'une fois de la famine. Et bien que, tout comme Nora, il menaçât souvent de partir, il ne les abandonna jamais. Elle semble avoir montré peu de compassion à son endroit, au moins durant les premiers temps. Si Stanislaus pouvait leur procurer de l'argent, tant mieux ; s'il voulait les lâcher, qu'il parte ! Il s'en allait pour de brèves périodes, mais, comme tous les êtres en mal d'affection, il revenait toujours. Si le lien qui unissait Stanislaus à son frère était fort, on peut difficilement parler ici d'amour fraternel. James était à la fois son père de substitution et son persécuteur. Dans une lettre aux siens, Stanislaus tenta de dire son angoisse, mais, n'étant pas poète, il écrivit simplement que les cornes de brume de la baie de Dublin lui manquaient.

CHAPITRE 9

Manifeste

«POUR L'AMOUR DU SEIGNEUR CHRIST, change ma maudite situation.» Changer, changer — c'était son vin, son encens, sa myrrhe. Stanislaus voyait combien Joyce s'épanouissait «dans l'excitation des événements»; Richard Ellmann dira que Joyce allait «de crise en crise, d'exacerbation en exacerbation». Trieste, où il avait vécu pendant quatre ans, lui semblait une ville terne et provinciale peuplée de vantards grotesques, dont les étés brûlants faisaient fondre les hommes comme du beurre et où le détestable *bora* mugissait sans cesse — en un mot, Trieste lui rappelait Dublin. En outre, la présence de Stanislaus était un lourd handicap. Ce dernier avait été un parfait interlocuteur épistolaire et un bon critique de son travail, mais vivre avec lui sous le même toit, subir ses reproches pour sa conduite irresponsable et son intempérance était plus qu'il n'en pouvait supporter. Joyce détestait toute forme de responsabilité.

Où aller ? Il choisit Rome, la Ville éternelle, qui lui semblait correspondre à sa destinée, d'autant plus que son héros, Ibsen, y avait passé un hiver. En vérité, la colère montait en lui, il voulait trouver l'« encre fermentée » qui saurait exprimer sa hargne comme l'absinthe savait aiguiser son esprit. Il n'avait alors que 24 ans.

Grâce à la lettre que son père avait soutirée à la mairie de Dublin quatre ans auparavant, Joyce trouva un emploi dans une banque. Fort heureusement pour le panier percé qu'il était, ses fonctions ne l'obligeaient pas à manipuler les liasses de lires jaunâtres ; sa tâche consistait à rédiger des lettres de huit heures et demie du matin à sept heures et demie du soir (avec deux heures pour déjeuner), assis sur une chaise cannée à laquelle son fond de pantalon ne résistait pas. Il avait puisé sa nourriture spirituelle chez Dante, auteur qui incarne pleinement l'esprit de la Renaissance, mais Rome lui semblait remplie de « vermine noire », ainsi qu'il nommait les jésuites. L'antique cité n'était que « ruines, amoncellement d'ossements et de squelettes », et la Rome papale ressemblait aux taudis dublinois de Coombe.

Bien qu'officiellement Joyce eût quitté Trieste par désir de changement et pour échapper à « ses chiens de créanciers », il recherchait inconsciemment un milieu qui lui permettrait de parvenir à l'état de rage qu'il n'avait pu atteindre jusque-là. Même ses cruels souvenirs de Dublin étaient devenus moins prégnants. Il sentait qu'il n'avait pas rendu justice à l'hospitalité, à l'insularité authentique ni à la beauté naturelle de cette ville sans égale en Europe. Il lisait la presse irlandaise — *Sinn Féin* et *The Leprechaun* —, s'attardant aux pages politiques et savourant les chroniques judiciaires les plus célèbres. Une affaire des plus licencieuses, dont il se disait que le matériau psychologique pourrait valoir d'être exploité, retint particulièrement son attention : le divorce d'un joaillier juif de 85 ans, Morris Harris, accusé par sa jeune épouse de l'avoir maltraitée et trompée avec leur domestique de 80 ans, d'avoir commis des actes indécents dans la salle à manger, d'avoir couvert ses chemises de nuit d'excréments et enfin d'avoir eu des relations sexuelles avec des petites filles. Joyce se souvint après coup qu'au moment de son « hégire » il avait emprunté 10 shillings au neveu de Harris.

Joyce s'identifiait au peuple juif, « la première race à avoir erré par toute la terre », ses frères dans sa difficile vie de vagabond. Le Galiléen n'était pas le seul à avoir souffert une trahison, James Joyce avait aussi enduré son calvaire. À d'autres moments, il s'identifiait aux anciens Grecs et voulait, comme il le fait dire à Buck Mulligan dans *Ulysse*, « helléniser » l'Irlande, car le grec « était la langue de l'esprit ». Il ne lui fallait qu'une plume, un encrier et ses « mots en fermentation » pour écrire de toutes petites phrases sur ceux qui l'avaient trahi. Son œuvre, réduite à cela, n'aurait été que temporelle ; mais son dessein était plus profond : il voulait scruter à la loupe le corps et l'âme, fidèle à sa conviction secrète que la littérature est, par essence, violence et désir. Il est en cela le frère de John Webster.

La vie romaine s'avéra intolérable. Pour amuser Stanislaus, de nouveau son confident épistolaire, il ridiculisait ses collègues — des banquiers chauves, sots en politique, qui lâchaient des vents toute la sainte journée et se plaignaient d'avoir l'anus ou les testicules gonflés. Sa vie onirique ne valait guère mieux — morts, cadavres, assassinats. Le manque d'argent était encore plus aigu qu'à Trieste pour la simple raison que sa paie était mensuelle et qu'il la dépensait en quelques jours. Quand son salaire venait de lui être versé, c'était la fête : un poulet rôti, du jambon, du pain et du vin ; des cadeaux pour Nora : une lotion tonifiante ou une paire de gants. Revigorée par ces attentions, la jeune femme redevenait elle-même et le faisait rire aux larmes : « Jésus et Dieu ne font-ils qu'un ? » lui demandait-elle le plus sérieusement du monde, ou l'Ibsen dont elle avait lu le nom dans le journal était-il le même que celui dont il lisait les livres ?

Mais ils retombaient bientôt dans la précarité qu'ils connaissaient bien : louer une chambre pour la nuit, donner des leçons particulières à la fin des longues journées de travail pour assurer la nuit suivante. La présence de l'enfant ne facilitait pas les choses. Que Joyce ait réussi à écrire dans de telles circonstances, et Nora à survivre à sa grisaille quotidienne, mérite le respect. Cela n'allait cependant pas sans tensions. Les épiphanies de Joyce ne ressemblaient plus aux épithalames rêveurs parlant d'elle comme d'une opale ou d'une perle ; il décrivait maintenant une chambre pleine de courants d'air, un poète myope et un lit étroit où étaient assis une madone et un enfant plaintif. Il ne s'étonnerait pas que Nora mette au monde un deuxième garçon pour assurer la dynastie. En guise de précaution, ils dormaient tête-bêche, ce qui n'empêcha pas Nora de tomber à nouveau enceinte.

Sa vie était encore plus terrible que celle de James. À midi, elle devait libérer la chambre louée ; elle passait le reste de la journée assise dans un café ou dans un parc à regarder les toits ou le fleuve jusqu'à ce que son sauveur arrive avec l'argent des leçons particulières, bouée de sauvetage pour les 24 heures à venir. Si seulement elle avait tenu un journal ! À quoi pensait-elle ? À sa solitude ? à son désenchantement ? à Galway ? à un arc-en-ciel ? Un jour, elle lui envoya une lettre de reproches à la banque : il se moucha dedans. Joyce nota aussi que son style — une merveille d'illettrisme — correspondait parfaitement à la sensibilité des malheureuses servantes de Thomas Hardy.

L'écrivain qu'il était pouvait se nourrir de ses rêves ; pour elle, qui n'avait pas ses ressources poétiques, la vie se réduisait au manque d'argent, d'amies et de bavardages, de vêtements neufs. Plus tard, il écrira que les histoires d'amour ressemblent à « des étoiles qui brûlent avec une intensité pure mais lointaine ». Il était proche de l'épuisement mental, avait abandonné toutes ses idées sur le socialisme, travaillait dans une banque, donnait des leçons particulières, empruntait quand il le pouvait et poursuivait son frère de ses lamentations. Il ne leur restait que quatre lires pour acheter du charbon, de l'huile pour les lampes, des bougies et du pain. Il semble impossible qu'il ait pu écrire dans ces conditions, et pourtant ! Il élaborait les récits qui composeraient *Dublinois*, peignait de la ville qu'il déclarait pourtant haïr des images lumineuses et pleines de tendresse pour ses créatures « bannies du festin de la vie ». Il démontrait déjà une méticulosité hors du commun. Pour *La Grâce*, nouvelle qui traite de l'infaillibilité papale, Joyce se rendit à la Biblioteca Vittorio Emanuele pour consulter le compte rendu de la proclamation du dogme et nota le nom des deux clercs que Sa Sainteté avait congédiés par un « Embrassezmoncul » pour avoir dit « Non placet », comme Joyce l'écrira à Stanislaus.

Il envoyait maintenant des suppliques désespérées à Stanislaus, resté à Trieste. Si l'argent n'arrivait pas, il coulerait. Stanislaus devait placer les billets entre deux feuilles de papier épais afin que sa banque, à laquelle il devait de l'argent, ne les confisquât pas. Il usait parfois d'un ton dolent : il n'avait ni stylo, ni encre, ni papier, ni tranquillité d'esprit ; la famille avait dû se contenter d'un plat de pâtes pour Noël. Que Stanislaus ait passé Noël seul dans sa chambre, dînant d'un peu de pain et de jambon, ne semble pas l'avoir tourmenté outre mesure. Ils avaient mille dépenses à faire. Giorgio avait besoin d'un nouveau drap pour son lit et cassait vitres et vaisselle à l'envi. Tout à Rome conspirait contre lui. Il s'était fait escroquer dans une taverne, Giorgio avait reçu accidentellement un coup de cravache au visage, et Nora était en permanence déprimée. Ses dents, tout comme son âme, étaient en train de pourrir. La vie s'échappait de lui comme l'eau à travers un sac de mousseline. En cela il se trompait ! Son esprit rigoureux était plus que jamais aiguisé. Il était pris d'un « terrible regret » lorsqu'il n'arrivait pas à comprendre et à appréhender pleinement le monde qui l'entourait.

Joyce s'installait dès sept heures du matin dans un café pour revoir certaines phrases de ses récits — « le rythme ascendant et retombant des mots » — et, bien sûr, pour lire. Ses jugements étaient sans concession. « Pourquoi les romans anglais sont-ils si terriblement ennuyeux ? » demandait-il ; suivait une brillante et impitoyable analyse d'une nouvelle de Thomas Hardy. Les auteurs anglais tournent toujours autour du pot ! Les Irlandais ne font guère mieux ! Oscar Wilde n'est pas assez déterminé. Bien qu'il n'eût aucune sympathie pour Synge, Joyce s'intéressait vivement aux échauffourées que causait son *Baladin du monde occidental* au Abbey Theatre. Les nationalistes et les religieux — curieusement associés pour une fois — voyaient une insulte à la féminité irlandaise dans la phrase « Si toutes les filles de Mayo debout devant lui dans leurs chemises » prononcée par Christy Mahon, le séduisant prétendant de la pièce. Joyce, pour sa part, n'y voyait que la pauvreté d'imagination de Synge. Contrairement à ce dernier, il n'avait pas été admis dans le cercle littéraire de Yeats, aussi prenait-il parti, depuis son lointain observatoire, pour la foule qui, chaque soir, orchestrait une émeute au théâtre. Les nationalistes, qu'il admirait du coin de l'œil à cette époque, seraient plus tard également ridiculisés, traités de « véhéments » qui palabraient sur Vinegar Hill et sur le joli lard fumé et les épinards d'Irlande. Il reconnaissait aux écrivains français certaines qualités, mais les trouvait trop imbus de leur identité gauloise. Il ne comprenait rien à la fresque sociale de Zola et se demandait pourquoi Verlaine devait être l'avenir de Rimbaud. Seul James Joyce serait l'avenir de James Joyce.

Il fut toute sa vie un lecteur vorace, avalant livres, pamphlets, manuels, plans de ville, tout ce qui pouvait nourrir ses goûts éclectiques et son désir d'apprendre. À sa mort, sa bibliothèque contenait près d'un millier de volumes aussi différents que *A Clue to the Creed of Early Egypt, Amour et*

Psyché d'Apulée, des œuvres d'Eschyle, Thomas d'Aquin, Platon, Nietzsche, un recueil de ballades irlandaises, *Historic Graves of Glasnevin Cemetery*, la traduction de l'*Odyssée* par Cowper, un missel de poche qui avait appartenu à sa cousine, les mémoires non expurgés de Fanny Hill, un traité sur l'acide urique, un autre sur la masturbation, un petit manuel de cartomancie, et des catalogues de mode de magasins londoniens et dublinois.

Sans le savoir il avait déjà conçu *Ulysse* — « L'épopée de deux races (israélite-irlandaise) » — et formulé son audacieux manifeste. Il écrivit à Stanislaus que, s'il plongeait un seau dans le puits de son âme, côté sexuel, il en remonterait une eau trouble où se mêleraient à la sienne celles d'Arthur Griffith (leader du Sinn Féin), d'Ibsen, de saint Aloysius (son saint patron), de Shelley et de Renan, c'est-à-dire un déchaînement de sexualité cérébrale et de ferveur sensuelle. Jamais, depuis l'époque de Jacques Ier, le sexe ne serait-il décrit avec autant de franchise et de crudité. Dickens, Thackeray, les sœurs Brontë, Tolstoï, Flaubert, Proust, tous s'étaient penchés sur l'amour malheureux, l'amour non partagé, et incidemment sur la sexualité ; mais Joyce voulait briser tous les tabous : copulation, travestissement, onanisme, coprophilie, il voulait décrire tout ce qui répugnait à l'Angleterre victorienne, à l'Amérique puritaine, à l'Irlande moralisatrice. Si cela déplaisait, il n'y pouvait rien.

Il assurait que peu de mortels étaient exempts du danger de se réveiller syphilitiques. « Parler d'amour spirituel, d'hommes et de femmes purs » n'était que foutaises, rien de tel n'existait. La sexualité était à la source des pulsions humaines. Plus important encore, la sexualité était un trait universel et pas seulement irlandais — il helléniserait, hébraïserait, sataniserait et immortaliserait sa ville natale et serait puni pour ses crimes. La récompense viendrait longtemps après sa mort lorsque l'on ferait graver des extraits d'*Ulysse* sur de petites plaques de bronze pour les incruster dans les trottoirs qu'avaient arpentés Leopold Bloom et ses autres personnages.

« Le Saint-Esprit est assis dans mon encrier, confiera-t-il à Stanislaus, et le démon pervers de ma conscience littéraire perché sur la courbe de ma plume. »

L'« expérience » romaine s'acheva brusquement quand, après une nuit de beuverie, deux hommes l'attaquèrent, lui volèrent son portefeuille, puis l'escortèrent jusqu'à un commissariat, prétendant être des officiers de police.

Stanislaus fut prévenu de l'arrivée de son frère par ce télégramme laconique : « Arrivons à huit heures loue chambre. » En les accueillant à la gare, il comprit que la famille s'agrandirait bientôt. La vie devint plus dure encore. Joyce ne retrouva pas son ancien travail et dut se mettre en quête de nouveaux élèves. L'espoir de publier *Dublinois* s'évanouit.

Des lettres désespérées arrivaient de Dublin : leurs sœurs demandaient s'ils ne pouvaient envoyer de vieux vêtements ou quelque argent, « ce serait une bénédiction ». John Joyce décrivait un Noël lugubre et quémandait aux deux « fripouilles de frères » ne serait-ce qu'une livre, leur rappelant qu'il n'avait jamais refusé de les aider lorsqu'il avait pu. Il se retrouverait bientôt à l'hôpital et c'était donc là certainement sa dernière requête, affirmait-il à tort.

James, par contre, fut hospitalisé pour du rhumatisme articulaire aigu ; peu après, Nora donna naissance à Lucia dans le service des indigents. Elle raconta que, sans Stanislaus, elle aurait accouché dans la rue. Contre l'avis de sa famille, Joyce voulait qu'on appelât l'enfant du nom de la sainte patronne protectrice des yeux parce qu'il redoutait la cécité. Sa sœur Poppy rapporta que leur père considérait comme une folie de choisir un prénom italien. Gogarty, alors installé à Vienne comme chirurgien, écrivit à Joyce qu'il regrettait que sa convalescence ait été aussi courte ; six mois auraient en effet été nécessaires pour éviter tout dommage aux valvules du cœur. Il promettait une livre pour les aider. L'argent n'arriva jamais. En quittant l'hôpital, Nora reçut les 20 couronnes accordées aux miséreux. Elle menaça bientôt de quitter James à nouveau ou de le punir en faisant baptiser les enfants. Lors des scènes de ménage, elle s'exprimait en italien afin que Stanislaus ne comprît pas, mais, quand elle voulait revendiquer ses droits conjugaux, elle répondait au «Où te retrouverai-je ce soir?» de Joyce par un «Au lit, je suppose?» dans sa langue maternelle.

Stanislaus décrivait par lettre à tante Josephine ces disputes et ces réconciliations; elle se déclarait pleine de sympathie pour le «pauvre Jim» et prédisait que Nora ne le quitterait pas, que ses menaces n'étaient que du vent. Il était «monstrueux» d'attendre d'un génie comme James Joyce qu'il épluchât les pommes de terre ou changeât le bébé. Il fallait espérer qu'il n'y aurait pas d'autre enfant. Nora cependant tomba de nouveau enceinte, mais fit une fausse couche, et Joyce déclara qu'il était le seul à s'être intéressé à cet avorton et à l'avoir pleuré. Tante Josephine, bien que réprouvant l'ivrognerie, excusait l'intempérance de son neveu, qu'elle mettait sur le compte des nombreux refus qu'il avait essuyés pour *Dublinois*: comme beaucoup, il buvait pour «oublier». En 1907, Joyce réussit malgré tout à donner plusieurs conférences et, après avoir achevé la nouvelle *Les Morts*, à transformer les 914 pages de *Stephen le Héros* en la pure synthèse qu'est *Portrait de l'artiste en jeune homme*.

En 1909, il proposa que Stanislaus emmène Giorgio en Irlande pour que la famille fasse enfin sa connaissance. Croyant sentir une certaine réserve dans leur réponse, réserve qu'il attribua au fait que l'enfant était illégitime,

James en conclut que ni lui ni Giorgio n'étaient les bienve-
nus. Rien ne pouvait apaiser sa colère. Il se rendrait lui-
même en Irlande. Ce que ses proches ne disaient pas, c'est
qu'ils voulaient le tenir à l'écart pour son propre bien :
James devait encore une fois souffrir aux mains de ses
pairs.

CHAPITRE 10

Trahison

Dans *Ulysse*, Stephen dit : « Un homme de génie ne commet pas d'erreurs » ; il subit plutôt des torts, et c'est ce qui allait arriver à Joyce. Dublin s'apprêtait en effet à infliger d'autres blessures à son psychisme déjà passablement malmené ; les trois visites qu'il y fit entre 1909 et 1912 provoquèrent chez lui de tels ravages émotionnels qu'il rompit pour toujours avec sa ville natale.

Lors du premier séjour, la trahison qui lui fut révélée l'accabla de douleur et fit bientôt renaître chez lui un appétit effréné pour la sensuelle Nora. Son arrivée avec Giorgio ne s'était pas faite sous de favorables auspices, la vue du « gros dos » d'Oliver Gogarty sur le quai de Kingstown ayant été un mauvais présage pour l'homme superstitieux qu'était Joyce. Son père et ses sœurs étaient là pour accueillir le fils prodigue et pour l'absoudre au moins partiellement de sa faute. John Joyce lui avait en effet reproché par lettre sa fugue avec Miss Barnacle, une terrible erreur qui avait non seulement brisé le cœur d'un père, mais « balayé d'un coup » un avenir prometteur. La vue du petit garçon et d'« un James plus mélancolique » attendrit la famille ; au dire de ses sœurs, il avait presque l'air d'un étranger.

Cette semaine-là, James et John semblèrent passer l'éponge sur leurs différends. Ils décidèrent un jour d'aller marcher dans les collines de Dublin, ravis de se retrouver entre hommes. Ils prirent donc le tram jusqu'à Ticknock, puis, pour se donner du courage avant d'entreprendre leur ascension, allèrent enfiler quelques pintes au Yellow House. Mis en verve par l'alcool, John, en gage de paix, se mit au piano et entonna un air de *La Traviata* : « Mon âme est rongée par le remords… Ah ! Pauvre vieux fou ! Je perçois seulement maintenant le mal que j'ai fait. » À travers ses larmes, il demanda à James pourquoi il l'avait abandonné. C'était une question impossible, mais les parents sont tous les mêmes, et les parents irlandais sont les plus possessifs de tous.

Alors qu'une plaie semblait devoir se refermer, une autre était prête à s'ouvrir. Des secrets qui mèneraient Joyce au bord de la folie allaient lui être dévoilés. Gogarty, décidé à ne pas se laisser oublier, poursuivit son vieil ami pour lui lancer avec son manque de tact habituel : « Jaysus, vieux, t'as la phtisie. » Joyce resta distant, refusa d'entrer dans le jeu et, comme il l'écrivit à Stanislaus, repoussa grog, vin, café et thé. Il mentionne aussi dans la même lettre que la rumeur à Dublin voulait que Synge soit mort de la syphilis. Il est stupéfiant de constater combien Joyce pouvait être impitoyable avec les autres et si désorienté lorsque l'adversité le frappait. Un beau matin, Nora reçut par télégramme ce premier cri de détresse : « Je ne vais pas à Galway, Giorgio non plus. »

Lui qui avait le brûlant désir d'être trahi allait avoir son content ! Il venait d'apprendre qu'à l'époque où Nora et lui avaient commencé à se fréquenter, elle avait aussi fréquenté quelqu'un d'autre, l'avait enlacé, avait levé son visage vers lui pour l'embrasser. Joyce ne le nommait pas, mais tous deux savaient qu'il ne pouvait s'agir que de Vincent Cosgrave, le « coq ridicule ». Depuis leur départ, quand Nora voulait le blesser, elle lui disait que Cosgrave le pensait fou. Or, tout récemment, Gogarty et Cosgrave avaient comploté contre lui, chacun ayant ses raisons de vouloir se venger. En ce qui concerne Cosgrave, il n'avait pas réussi à séduire Nora et apparaissait dans le roman autobiographique de Joyce sous les traits du « Lynch aux yeux de lynx », un homme d'une « intelligence excrémentielle » qui, après avoir écouté les théories de Stephen sur la beauté, les qualifiait de « puanteurs scolastiques ».

Joyce avait eu l'imprudence de laisser circuler certains
des chapitres de son livre dans Dublin. Incapable de res-
pecter longtemps son vœu d'abstinence, il se remit bientôt
à bambocher en compagnie de Cosgrave. Un après-midi,
celui-ci attaqua : Nora était sortie avec lui, ils avaient marché le long du canal, jusqu'à Ringsend ; en un mot, elle
l'avait trahi. Cocufié. Les accusations de Joyce traversèrent
promptement la mer d'Irlande. Ses yeux étaient remplis de
larmes et son cœur d'amertume, écrivait-il à Nora ; elle
l'avait blessé, déshonoré, détruit pour toujours. Il avait
perdu foi en elle. Il rentrerait immédiatement à Trieste, dès
que Stanislaus lui aurait envoyé l'argent du voyage. Tout
était fini entre eux. Il l'adjurait en même temps de lui dire
s'il allait perdre à jamais la main qui l'avait touché, la voix
qui lui avait parlé dans la nuit. Avait-elle flâné dans les
mêmes rues et le long de la Dodder avec l'autre ? Lui avait-
elle accordé les mêmes douces faveurs ? Et quoi d'autre
encore, quoi d'autre ? Elle n'était plus digne de sa confiance, mais il méritait, lui, qu'elle le prenne en pitié car son
amour était bafoué. Au nom de cet amour, elle devait lui
écrire. Giorgio était-il bien son fils ? N'y avait-il pas eu bien
peu de sang sur le drap de la pension « Espoir » à Zurich ?
Il se complaisait dans son propre malheur, se disait qu'en
paradant avec « son fils » dans les rues de Dublin il était
probablement devenu un objet de risée. Il alla voir son
dernier ami, J. F. Byrne, au 7 Eccles Street, une adresse

qu'*Ulysse* rendrait célèbre, et s'épancha de ce qui le tortu-
rait. Byrne l'assura qu'il s'agissait d'un «fichu mensonge»,
que Cosgrave et Gogarty avaient mis au point ce stratagème pour le détruire. Ils étaient jaloux de lui à cause de
Nora, mais plus encore parce qu'il avait l'étoffe d'un poète
et que son génie lui vaudrait peut-être un jour d'être appelé le Homère d'Irlande — «une intelligence enchanteresse».

À la lecture de ces billets pleins de lâcheté et de folie,
Nora se tourna vers Stanislaus, qui lui expliqua — ainsi
qu'à James peu après — que Cosgrave l'avait toujours con-
voitée. Joyce se confondit bientôt en excuses: comment
pouvait-il avoir douté d'elle? Quel vaurien il faisait!
Quelle douce et noble créature elle était! Il lui envoya trois
sacs de copeaux de cacao afin qu'elle se remplume avant
son retour à la maison. C'était à nouveau les grandes déclarations: «les profondeurs de son cœur», son amour qui lui
procurait une «joie douce comme la rose», les rêveries
étranges et incertaines dont cela l'emplissait. Ensemble ils
déjoueraient le lâche complot et plus jamais ne douteraient
l'un de l'autre. Il décrivait avec fierté un bijou qu'il lui avait
fait faire, un collier de cubes d'ivoire reliés par une chaîne
d'or avec, au centre, une tablette portant l'inscription:
«Que l'amour lamente / un amour absent.» Chacune de
ses lettres débordait maintenant d'espoir et de promesses.
Il gagnerait beaucoup d'argent. Il ne dirait plus de gros

mots en sa présence. Il commençait même à être reconnu à Dublin. Dans le bar de l'hôtel Gresham, il avait entendu ses compatriotes le qualifier de «poète de sa race», et sur ces lauriers et l'amour de Nora ils allaient pénétrer «le paradis de leur vie» sans argent. Invoquant son affiliation à la presse italienne, il se débrouilla pour obtenir un billet de première classe (jusqu'à Londres) et dans son enthousiasme retrouvé il décida d'emmener sa sœur Eva vivre avec eux à Trieste. Il envoyait dans le même temps le télégramme suivant à Stanislaus : « [Arrivons] Demain matin huit heures. Sans le sou. »

Sans le sou ou pas, Joyce venait d'acquérir une formidable expérience. Sa folle jalousie avait rallumé sa passion pour Nora, son corps était redevenu pour lui «musical, étrange et parfumé». Qu'elle ne confirme ni n'infirme les rendez-vous avec Cosgrave attisait son désir, lui faisant goûter en imagination le nectar du voyeurisme. Peu importe que cela ait été vrai ou non, il en ferait une réalité littéraire. Il conçut alors *Les Exilés*, pièce de théâtre dans laquelle un mari et son meilleur ami se disputent l'amour d'une femme, le mari admettant qu'une «terrible partie de son être ignoble» désire la trahison.

Les pouvoirs de Nora sur Joyce se trouvèrent affermis par cet épisode. Elle s'était avérée la plus forte, et lui, le prétendant, demandait que leur amour soit désormais «ardent et violent».

Beaucoup se sont étonnés qu'un homme du calibre de Joyce ait choisi et aimé fidèlement cette paysanne. C'est une énigme que leur correspondance ne suffit pas à expliquer ; le mystère de leur amour reste aussi impénétrable que ceux d'Éleusis.

CHAPITRE 11

Seaux

PARLANT DE DUBLIN, Joyce a dit un jour : « Ce sera toujours pour moi la première ville du monde. » Contre toute attente, ce n'est pas là qu'il fut enterré.

En 1958, Samuel Beckett et d'autres amis tentèrent vainement de faire rapatrier son corps, mais ils se heurtèrent à la bigoterie irlandaise et à la bureaucratie suisse, deux institutions intraitables. Un entrepreneur de pompes funèbres dublinois refusa catégoriquement de toucher aux restes impurs !

Eva, à qui Dublin manquait, se plaignait régulièrement que Trieste avait pour unique attrait sa salle de cinéma. La remarque finit par donner une idée à Joyce, qui était accablé de dettes : il se lancerait dans les affaires.

Il n'était pas le premier écrivain à espérer gagner de l'argent autrement que par sa plume. Balzac avait lui-même tenté l'expérience, avec un manque de discernement comparable à celui de Joyce. Il emprunta 30 000 francs pour remonter un journal moribond. Cela lui valut la prison, où il insista pour que son serviteur vienne en livrée lui apporter des fleurs, une mèche de cheveux de sa belle et des fruits de saison. Il fit installer dans sa cellule un tapis, des draperies de dentelle, des miroirs et un canapé sur lequel il espérait bien séduire les jolies femmes qui lui rendraient visite.

Joyce dénicha à Trieste quatre hommes d'affaires qui possédaient plusieurs théâtres et un cinéma à Bucarest, le Volta, et il les persuada de s'associer à son projet. Ils ouvriraient la première salle de cinéma de Dublin, puis une à Cork et une autre à Belfast; pourvu du prix du voyage, de son enthousiasme et de 10 couronnes par jour pour se nourrir et se loger, Joyce serait prêt à passer à l'action.

Une fois à Dublin, il se lança à corps perdu dans l'entreprise, trouva un local vacant dans Mary Street, fit installer l'électricité et les sièges, et choisit trois films susceptibles de satisfaire le sentimentalisme des habitants de sa ville natale : *The First Paris Orphanage*, *La Pouponnière* et *The Tragic Story of Beatrice Cenci*, dont la projection serait accompagnée par un petit orchestre à cordes.

C'est dans la maison paternelle de Fontenoy Street qu'il reçut la première lettre érotique de Nora. Elle lui écrivait crûment qu'elle voulait qu'il la baise. Nuit après nuit, il bandait à l'idée des poussées brutales qu'il lui donnerait. Il fallait plonger un seau au plus profond de la sexualité d'une femme pour connaître son aspect le plus torride ; or, qui mieux que Nora, celle qui avait « fait de lui un homme », cette première nuit à Ringsend, pouvait répondre à cet impérieux besoin ? Tout comme Leopold Bloom se vautrerait dans les organes d'animaux, Joyce voulait se vautrer dans le maelström du désir féminin. Oubliés les discours larmoyants ou exaltés de l'amant qui frappait à la porte de son cœur, c'était maintenant un appel de corps à corps ; il la jetterait sous lui sur ce ventre qu'elle avait si doux et lui arracherait ses culottes blanches. Elle était sa complice assoiffée de luxure et montrait « l'ardeur d'une putain dans ses yeux ensommeillés ». Ils devaient revivre ces fiévreuses copulations afin d'entretenir leur farouche désir et alimenter son génie littéraire.

Nora avait-elle entrepris ce brûlant marathon dans un moment d'extrême désir ou bien pour entretenir la flamme et la fidélité de James absent ? Elle était restée à Trieste en compagnie des deux enfants, d'Eva et de Stanislaus, lequel s'était vu confier une partie des cours de James. Alors que les projets cinématographiques occupaient Joyce le jour, un désir tyrannique le consumait la nuit. Il se nourrissait des détails de leus ébats passés, s'en délectait, assisté par la mémoire, cette faculté qui a le don de vivifier la réalité. « Le toucher a une mémoire », disait Baudelaire ; Joyce, du fond de la maison de son père, renvoyait en miroir à Nora une description minutieuse de son corps — nichons, con, langue baveuse — avec une intensité quasi orgasmique. Dans la « nuit secrète et inavouable », il s'asseyait à la table de la cuisine et se branlait à l'idée qu'elle était en train de lire une de ses lettres ou bien de lui en écrire une dans laquelle elle reprenait les mots qui l'avaient enflammé — « bref, brutal, irrésistible et satanique ».

Dans ses missives, il la met au défi non seulement d'être aussi cochonne que lui, mais de le surpasser en avilissement et en dépravation. « Plus sale, plus sale » est le mot de passe, sa « sale bitte rouge et noueuse » plantée dans son « ignoble con rouge », sa « pine dressée fouillant la fente de sa culotte ». Il lui rappelle ses capitulations sauvages, le bredouillement de mots orduriers, le jaillissement de ses pets, tous ces moments crus et honteux pour lesquels il ne l'aime que plus. Il lui écrit encore parfois qu'elle est sa reine, sa « belle fleur sauvage », mais le thème majeur de ses incantations reste l'évocation d'extases passées et de voluptés à venir. Il retrace la première nuit à Ringsend, quand elle l'a touché de ses doigts chatouilleurs puis branlé lentement jusqu'à ce qu'il jouisse, sans jamais détacher de lui ses yeux tranquilles de sainte ; et la nuit à Zurich, dans la pension de famille, quand elle le voulait plus gros, plus long, plus dur, et qu'elle l'excitait en murmurant : « Fous donc, mon amour ! fous donc mon amour ! » A-t-elle fait de même pour Cosgrave, son rival, l'homme qu'il tuerait volontiers d'un coup de revolver? Elle doit le lui dire. Aucun secret ne doit demeurer entre eux; si tous les rustauds rouquins de Galway l'ont eue avant lui, cela ne fera qu'accroître son désir pour elle.

La seule vue de son écriture, de ces mots décousus, baisés et tenus contre les parties intimes de son corps, le laisse en émoi des journées entières jusqu'à ses lettres du soir. Il la dépeint dans différentes poses : créature sévère le sommant de venir à elle pour être puni, assise sur une chaise, ses grosses cuisses écartées, une cravache à la main prête à le fouetter. Flageller. Flageller. Il lui serait également reconnaissant si elle le chevauchait dans sa tenue de sortie, portant chapeau et voilette, les bottines crottées ; les dessous affriolants et la fleur cramoisie et tant désirée de Molly Bloom complètent le tableau. Il imagine leurs accouplements dans tous les recoins de l'appartement — cage d'escalier et cabinet noir, leur antre à rut. Il veut désespérément entendre les mots orduriers et les histoires sales qu'elle tient d'autres femmes, tout en implorant sa rédemption. Pour le guérir, elle devra, les premières nuits, le foutre jusqu'à l'épuisement. Il est si petit et si mou qu'aucune fille d'Europe sauf elle ne perdrait son temps à tenter l'affaire. Et il lui promet de ne jamais retourner voir les filles.

Elle répond qu'elle se promène sans sous-vêtements à cause de ses lettres torrides. Il salive à l'idée et lui ordonne de se retirer dans un coin secret de l'appartement pour se

chatouiller son petit machin, afin de rendre ses descriptions plus vivantes, et aussi de souligner certains mots et de
tenir ses lettres contre son corps. Mais suit un billet l'enjoignant à la prudence. Il craint qu'elle ne se donne à un
autre. Si cet autre avait été Stanislaus, qui éprouvait une
attirance pour Nora et dont la chambre n'était séparée de
la sienne que par un mur, Joyce aurait alors connu la trahison suprême dont il rêvait.

Après un temps, la veine ordurière commençant à
s'épuiser, il entrecoupa les obscénités de déclarations sentimentales. Il s'était rendu à l'hôtel où elle avait travaillé,
avait demandé son ancienne chambre et s'y était adonné à
une orgie de larmes, avec l'envie de s'agenouiller et de prier
comme l'avaient fait les Rois d'Orient devant la crèche où
dormait l'Enfant Jésus. Toute la gamme des sentiments
possibles passe dans ses lettres, depuis le désir le plus lubrique jusqu'à l'amour ressuscité, et les préoccupations
domestiques y ont également leur place. Il souhaite, pour
la cuisine, un nouveau linoléum brun, des rideaux rouges
et un fauteuil pour que le « chevalier à la triste figure »
puisse s'asseoir et parler, parler à sa « petite mère » qui le
recevra dans le sombre sanctuaire de son ventre.

Après avoir assuré Stanislaus qu'ils seraient bientôt
riches, il l'implora de sauver la famille de l'expulsion. Le
projet de cinéma avait échoué, en partie à cause du temps
peu clément mais aussi du choix des films, trop lugubres,

et de la lassitude des quatre hommes d'affaires qui, après avoir investi 1600 livres dans l'affaire, plièrent bagages et rentrèrent chez eux. Il tenta de mettre deux autres projets irréalistes sur pied : importer des fusées volantes à Trieste et servir d'agent pour les tweeds du Donegal. Rien n'aboutit, aussi, en même temps qu'il relayait ses excès de libido à Nora, dut-il demander une fois de plus à Stanislaus de les tirer du pétrin « à tout prix ».

La publication de ces fameuses lettres a fait couler beaucoup d'encre, et Richard Ellmann, qui les a colligées, s'est attiré de vives critiques. Des années auparavant, d'autres lettres beaucoup moins compromettantes avaient paru avec l'accord de Nora et de George ; Samuel Beckett, furieux, avait alors déclaré que les veuves d'écrivains devraient être brûlées sur le bûcher funéraire de leurs époux. Ces lettres diminuent-elles Joyce et Nora à nos yeux ? Avilissent-elles l'institution du mariage ? Certainement pas. Leur truculence possède le même caractère absolu que l'extase des mystiques, et elle exprime la même soif de fondre deux êtres en un. Le chaos de Joyce est notre chaos, son désir barbare est aussi le nôtre, mais son génie lui permit de transcender ce matériau torride et fangeux, et d'émouvoir « le cœur des hommes et des anges ». Au demeurant, c'était un jeune homme dévoré d'une passion brûlante et qui, au moment de la rédaction de ces missives, se faisait soigner à l'hôpital de Dublin

pour une « sale maladie » contractée auprès d'une prostituée.

Plus qu'un simple ramassis d'obscénités, les lettres de
Joyce donnent la mesure de l'immense confiance qu'il avait
en Nora, celle qui lui permettait d'être tout à la fois enfant-
homme, homme-enfant, voyeur et grand séducteur. Elles
révèlent aussi l'immense appétit sexuel de Nora ; s'il étonne
chez une ancienne couventine de Galway, il prend des
allures de contestation radicale en regard de cette collusion
masculine qui veut que les femmes conservent une aura de
mystère et qu'elles camouflent leurs pulsions sexuelles,
maternité et sexualité étant jugées antinomiques.

Ces lettres sont fascinantes pour une autre raison encore :
pourquoi Joyce ne les a-t-il jamais détruites et pourquoi n'a-t-
il pas demandé à Nora de le faire ? Lui qui avait la manie du
secret au point de ne pas vouloir que ses propres sœurs voient
les sous-vêtements de Nora, envoyait des missives jaculatoires
à une adresse où n'importe quel membre de la famille pouvait
tomber dessus. Il demandait aussi à Nora de cacher son excitation, ou plutôt de « presque la cacher ». Le voyeur en lui
s'était libéré, et qui plus est, dans sa propre ville, parmi les
siens et dans le pays qu'il estimait responsable de son op-
pression, pays sur lequel il se ferait une joie de déverser un
grand seau d'immondices. Il adressait ces lettres à Nora, bien
sûr, mais aussi à lui-même, pour se convaincre qu'il était
libre de toute culpabilité catholique. L'était-il vraiment ?

En 1928, H. G. Wells, qui ne pouvait connaître ces lettres, écrivit à Joyce : « Vous croyez vraiment à la chasteté, à la pureté et en un Dieu personnel, c'est pourquoi vous clamez sans cesse "con", "merde" et "enfer". » Peut-être Wells voyait-il juste, mais il reste que Joyce avait confié au papier ses pulsions les plus secrètes, dans une sorte de témoignage libérateur. Il avait plongé ses seaux dans le tréfonds de l'homme et de la femme et, si sa prose frissonnait encore d'une saisissante tendresse, viendraient ensuite le monologue « ample et curvilinéaire » de Molly Bloom et l'extase d'Issy (l'un des moines qui traduisit les Évangiles en gaélique) dans *Finnegans Wake*, « se levant dans la pénombre après le plus grand graissage d'oie de tous les temps avec Mick, et Nick le Maggot ».

Si Joyce ne prit aucune disposition pour que ses lettres deviennent publiques, il ne s'assura pas non plus qu'elles soient détruites. Lorsqu'ils quittèrent Paris, en 1940, Nora brûla celles qu'il lui avait écrites parce que, déclara-t-elle à Helen Nutting, « elles ne regardaient personne ». Mais Shem le gratte-papier avait d'autres préférences. Son omission préfigure Earwicker, ce « vieux cochon » qui voulait étaler son linge sale en public après avoir « fait on ne sait quoi dans Fiendish Park », ce secret encore vierge virevoltant à travers l'Irlande sur un mouchoir blanc immaculé ou une feuille de papier blanc. Toute la difficulté est là !

CHAPITRE 12

Obstacles

« JE NE VEUX PAS ÊTRE un Jésus-Christ littéraire », dit Joyce. Qu'il l'ait voulu ou non, ce fut son lot. Les nouvelles qu'il avait commencé à écrire à 22 ans ne trouvèrent preneur que 10 ans plus tard, après avoir fait le tour de bon nombre d'éditeurs. Quand George Russell lui demanda de soumettre à l'*Irish Homestead* des nouvelles de facture classique, morales et sentimentales pour lesquelles on lui garantissait un souverain, il était déjà en révolte.

La première de ces nouvelles, *Les sœurs*, ainsi que les deux suivantes furent mal reçues à cause de leur peinture de la vie et du caractère irlandais. Les lecteurs n'aiment pas être ainsi ridiculisés et cloués au pilori. Joyce reconnaissait qu'une certaine malignité s'emparait souvent de sa plume, mais il soulignait d'autre part que son but était d'amener ses compatriotes à bien se regarder dans le miroir qu'il avait « soigneusement poli pour eux ».

En 1906, Grant Richards, un éditeur anglais, lui signa un contrat pour cet ensemble de nouvelles auquel il avait donné le titre de *Dublinois*. L'hallali venait d'être sonné. L'imprimeur s'offusqua de ce manuscrit douteux. Il trouvait inacceptable, par exemple, l'emploi du mot « sacrément » ou telle référence à une femme qui « changeait souvent la position de ses jambes ».

« Ô imprimeur borgne ! » railla Joyce, soulignant qu'il n'allait pas se prostituer en changeant un seul mot à ses textes. Au cours d'échanges plus sereins, il exhorta Richards à faire campagne pour modifier le goût anglais. Redoutant des poursuites judiciaires, l'imprimeur tira sa révérence, suivi de près par Richards. Après avoir tenté sa chance auprès de plusieurs autres éditeurs, Joyce trouva le salut en la personne de George Roberts, un Dublinois qu'il connaissait depuis sa jeunesse. Les objections qui lui avaient été faites jusque-là n'étaient rien par rapport à celles qui allaient venir.

Si Keats, de son propre aveu, était épris de la mort qui apaise, Joyce était, quant à lui, plus qu'épris de persécution. Ce qu'il vécut avec Roberts est un véritable catalogue de faux-fuyants, d'ignorance et de filouterie. Après avoir dit qu'ils publieraient les nouvelles de Joyce, Roberts et son fidèle imprimeur, un certain M. Falkner, sentirent poindre le danger. Joyce était implacable : on ne pouvait le blâmer si une odeur de scories, de choux pourris et de détritus flottait autour de ses nouvelles, car c'était bien ainsi qu'il voyait sa ville. «Nous sommes insensés, comiques, immobiles, corrompus, mais, malgré tout, dignes de sympathie », déclara-t-il avec arrogance, ajoutant que si l'Irlande devait refuser cette sympathie à ses personnages, le reste du monde n'en ferait pas autant. En cela il se trompait.

Choquante, chacune des nouvelles l'était à sa façon. Dans « *Ivy Day* » *dans la salle des commissions*, Édouard VII est dépeint comme un « gai luron », un homme « qui aime son verre de grog », et Roberts voyait là une diffamation. Après avoir exploré tous les suaves chemins de la persuasion, Joyce eut l'idée d'écrire au roi George V pour lui demander sa bénédiction au sujet du paragraphe litigieux. Rien d'étonnant à ce qu'un secrétaire lui ait répondu laconiquement qu'il n'était pas de règle pour Sa Majesté d'exprimer une opinion en de pareilles circonstances ! Joyce se résolut à cette suppression, mais, fidèle à sa bouillante nature, il écrivit aux journaux irlandais pour dénoncer l'abâtardissement de son art, ce qui n'améliora guère ses relations avec Roberts et ses acolytes.

« Nos expériences nous traquent si nous le voulons bien », écrit Richard Ellmann dans son essai sur Joyce et la conscience. La saga de *Dublinois* et les autres démêlés joyciens corroborent sans nul doute cette théorie. Dès que Joyce avait accepté de modifier une nouvelle, Roberts revenait à la charge pour une autre. Il fit appel à ses amis du monde littéraire, en vain. Thomas Kettle lut le recueil et déclara qu'il porterait préjudice à l'Irlande. Chaque jour qui passait apportait de nouveaux doutes et de nouvelles objections. Ces nouvelles étaient anti-irlandaises, elles allaient à l'encontre des objectifs patriotiques de l'éditeur Roberts. La mention des divers débits de boisson inciterait tous les tenanciers à intenter des procès. Joyce, qui était accouru à Dublin pour hâter les choses, proposa à Roberts de l'accompagner dans chacun des pubs pour obtenir du patron la promesse de ne pas engager de poursuites. Si ce projet avait été mis à exécution, Myles na Gopaleen, brillant écrivain et journaliste, ne se serait sûrement pas privé d'en traiter de façon égrillarde dans sa chronique. Grand buveur lui-même au demeurant, il se contentera, des années après la mort de Joyce, d'en faire un personnage de roman qui travaille dans un pub sur la route de Mullingar.

Joyce dut engager un avocat pour faire pression sur Roberts. Malheureusement, George Lidwell, l'avocat en question, s'y connaissait davantage en affaires de police qu'en matière de propriété artistique. Loin d'être un allié, il allait s'avérer un farouche opposant. Il trouvait le vocabulaire de Joyce douteux, et ce, plus particulièrement dans *Une rencontre*, où l'innommable sujet avait osé être formulé. Il entendait par là l'allusion faite à l'homosexualité à la fin de l'histoire, lorsqu'un drôle de vieux bonhomme aborde deux jeunes garçons, s'éloigne ensuite et fait quelque chose qui les choque, puis revient s'asseoir près d'eux pour discourir avec délectation sur les plaisirs du fouet. Lidwell, qui avait vaguement lu Gibbon, fulmina contre ce vice «dont la vertu rejette le nom et dont la nature abomine l'idée ». Joyce était maintenant en guerre contre trois institutions, Rome, la couronne britannique et les hommes de loi. Constatant que son attitude récalcitrante ne le menait nulle part, il changea de tactique et se fit conciliant jusqu'au mensonge. Il supprimerait un paragraphe, un autre encore, il supprimerait même l'abominable histoire; mais chaque concession suscitait une nouvelle demande. Puis vint «l'attaque la moins charitable de toutes»: Thomas Kettle jura qu'il éreinterait le livre parce qu'il y était question d'homosexualité. Kettle, homme de lettres idéaliste qui s'était engagé pendant la Première Guerre mondiale dans l'esprit du jeune Fortinbras, ne supportait cependant aucune atteinte réelle ou imaginaire à l'honneur de ses compatriotes. Joyce était isolé. Son propre père estimait que *Dublinois* était un ouvrage de voyou. Joyce confia son désespoir à Nora, qui se trouvait à Galway avec les enfants, déplorant que cet enfant qu'il avait porté tant d'années dans le ventre de son imagination ne verrait jamais le jour. Elle lui télégraphia de ne pas perdre courage. Ragaillardi, il projeta de la faire venir à Dublin pour le Concours hippique et espérait pouvoir lui offrir de nouveaux chapeaux.

Roberts proposa alors un subterfuge : Joyce écrirait une préface en forme d'excuse. Ce dernier, maître en tergiversations, dit qu'il allait y réfléchir et partit pour Galway, certain de circonvenir son adversaire. Avec le recul, il paraît clair que Roberts ne voulait pas vraiment publier *Dublinois*, mais qu'il hésitait d'autre part à y renoncer pour de bon. En mettant des bâtons dans les roues, il cherchait inconsciemment à crucifier Joyce et il le poursuivit de ses doutes jusqu'à Galway. Il entretenait des plaintes en diffamation et des séismes d'indignation morale. Lady Aberdeen, épouse du Lord Lieutenant, pilier du Comité de vigilance de Dublin, serait choquée comme le serait le reste du pays sans compter que sa propre fiancée romprait certainement.

Joyce se précipita à Dublin, mit en gage sa montre et sa chaîne, et convainquit l'écrivain Padraic Colum de venir plaider sa cause auprès de Roberts. L'entrevue fut houleuse : arguments, contre-arguments et justifications prirent une telle tournure que les deux écrivains furent priés de partir. Joyce plaça ensuite tous ses espoirs en Lidwell, qu'il rencontra à l'hôtel Ormond pour arrondir les angles. Lidwell écrirait une lettre moins compromettante concernant *Dublinois*. L'astucieux Roberts refusa de lire la lettre parce qu'elle était adressée à Joyce et non à lui, et Lidwell, lui-même maître dans l'art de la fourberie, prétexta qu'il ne pouvait écrire à Roberts parce que celui-ci n'était pas son client. Pendant ce temps, Stanislaus écrivait à Joyce depuis

Trieste que la famille avait été sommée de quitter l'appartement dans les neuf jours faute d'avoir payé le loyer. Ce dernier répondit avec désinvolture qu'il ne fallait pas s'en faire, car il comptait engager un avocat triestin pour intenter un procès à son propriétaire. Joyce, le virulent pamphlétaire, était en train de se métamorphoser en roi de la chicane.

Les choses étaient au point mort. Roberts n'acceptait de publier le livre que si son auteur s'engageait par écrit à lui rembourser les frais de la première édition en cas de saisie. Il proposait deux cautionnements de 1000 livres chacun, aussi inaccessibles à Joyce que la montre qu'il avait mise en gage. Enhardi par sa brillante stratégie, Roberts produisit ensuite une lettre d'un cabinet d'avocats londonien avisant Joyce qu'il avait rompu son contrat en soumettant un livre diffamatoire, attendu qu'y figuraient sous leurs véritables noms magasins, débits de boissons et même une compagnie de chemin de fer. Lidwell avait entre-temps disparu et Joyce avait engagé un autre avocat du nom de Dixon, qui, fulminant après avoir lu *Dublinois*, l'accusa de gaspiller son talent et de déshonorer son pays. Excité par le goût du sang, Roberts tenta une dernière ruse : il vendrait à Joyce les feuillets composés pour une somme de 30 livres et celui-ci ferait imprimer l'ouvrage à Londres. Après avoir promis d'y réfléchir, Joyce s'en alla, mais réussit par miracle à emporter avec lui un jeu d'épreuves ; bien lui en prit, car 24 heures plus tard, l'imprimeur John Falconer, cédant à un accès de vertu, prévint Roberts qu'il n'avait pas l'intention d'accepter l'argent de Joyce pour imprimer ces nouvelles et qu'en outre il allait les détruire. Ce qu'il fit. Avec une malice d'écolier, Roberts annonça à Joyce que son œuvre avait été mise au pilon. L'exécution était totale.

Ce soir-là, Joyce s'assit au piano chez sa tante Josephine, joua une complainte et pleura. La tante suggéra à Nora de monter le consoler parce que ses larmes étaient aussi pour elle.

Le lendemain, les Joyce quittaient « Moy Eireann » pour toujours.

Sa flèche du Parthe fut une satire qu'il composa dans le train entre Munich et Trieste, satire dans laquelle il imagine les raisonnements bilieux de Roberts.

> De l'eau dans le gaz
> Merde aux petits oignons! voudrait-on que j'imprime
> Les noms de Wellington et de son monument,
> Sydney Parade et le tramway de Sandymount,
> Les gâteaux de chez Downes et la gelée Williams?
>
> Je brûlerai ce livre avec l'aide du diable.
> Je chanterai un psaume en le voyant flamber
> Et garderai ses cendres dans une urne à une anse.
> Pétant et gémissant je ferai pénitence
> Et je tomberai à genoux sur mes rotules.
> Dès le prochain carême abaissant ma culotte
> J'exposerai à l'air mon cul de pénitent....

Son frère Charlie, alors sans travail, eut le plaisir discutable de la faire circuler dans Dublin.

Deux ans plus tard, Grant Richards décida de publier *Dublinois*, flairant un climat moins hostile. Les critiques furent mitigées, le livre déclaré fade et morbide, et l'auteur accusé de traiter des sujets tabous. Un ans après sa sortie, 379 exemplaires avaient été vendus, l'impécunieux Joyce s'étant débrouillé pour en acheter 120.

CHAPITRE 13

Badinage

« JE NE TE QUITTERAI JAMAIS PLUS », écrivit-il à Nora lors d'un séjour à Dublin. Il ne la quitta en effet jamais plus, mais, entre l'âge de 30 et 40 ans, il fut saisi en trois occasions par le «frémissement du cabotin». Les excès d'abstraction ne conviennent pas davantage à l'imagination qu'à un cœur brûlant de tomber amoureux. Or, pour ce qui était des femmes, sa causticité et son infatigable intellect ne changeaient rien au fait que Joyce était un romantique. Les coucher, les épouser, les piétiner, va pour la fiction : «D'abord nous ressentons. Ensuite nous tombons», disait-il. À Locarno, où il était venu se reposer après une opération aux yeux, il s'éprit de Gertrud Kaempffer, une jeune doctoresse qui soignait sa tuberculose, une âme blessée comme lui. Il lui écrivit des lettres passionnées et tout à fait inconvenantes. Il voulait voir le fond de son âme, comme avec Nora, mais souhaitait en outre raconter à cette étrangère sa première expérience sexuelle. Mlle Kaempffer trouva naturellement ces confidences un peu précipitées et l'évita résolument. Elle prétexta avec élégance que leur amitié pourrait blesser son épouse.

Il avait eu un peu plus de succès avec Amalia Popper, une jeune femme aux yeux d'antilope et à la voix gaie et chantante pour la simple raison qu'il s'agissait d'une de ses élèves. Elle était la fille d'un homme d'affaires juif, prénommé Leopoldo, et Joyce, se croyant lui-même juif par les « tripes », pensait que cette attirance avait une connotation ancestrale et mystique. Il arrivait à ses cours vêtu du gilet jaune de son père et passait la leçon affalé sur deux chaises, une cigarette entre les doigts. Il aimait encourager les jeux de mots chez ses élèves, qui appréciaient beaucoup son excentricité ; ils le plaisantaient à propos de sa bague — talisman contre la cécité — et le réprimandaient parce qu'il ne portait pas d'alliance. Les sujets variaient selon son humeur. « Generally » devait être prononcé General Li, nom d'un guerrier chinois qui s'était pendu, ce qui l'amenait à discourir longuement sur l'autocratie chinoise. Il les charmait et les déconcertait tout à la fois en les portraiturant de façon imagée. Une élève pouvait, par exemple, être une roseraie pleine de fleurs et d'oiseaux, mais, à mieux y regarder, elle devenait un tas de charbon. Une autre était très digne jusqu'à ce qu'elle glisse dans la rue. Lui aussi dérapait. Il leur chantait des chansons telles que « Dooleys-prudence » mais perdait lui-même toute prudence. Amalia était en train de l'asservir. Cet ensorcellement auquel elle le soumettait serait plus tard évoqué dans un poème en prose cristallin, *Giacomo Joyce*. C'était une jeune fille secrète, aussi fragile qu'une toile d'araignée, une Sémite en fourrures odorantes.

La vie domestique de Joyce se réduisait à des corvées, deux enfants, une épouse qui menaçait régulièrement de le quitter, et d'incessants soucis d'argent. Par contraste, Amalia se parait à ses yeux d'une grandeur gothique, maîtresse qu'elle était d'un antique château aux murs duquel pendaient des cottes de mailles, ses hauts talons claquant et résonnant sur les marches de pierre ; et il s'imaginait lui-même en train de demander une audience à Madame. Il la décrivait avec un mélange d'adoration et de causticité : dans une rizière près de Verceil, souriant d'un sourire mensonger, une humeur jaune et rance tapie dans la pulpe attendrie de ses yeux. Il décelait une pointe de venin dans ses iris veloutés. Elle était son Hedda Gabler. C'était essentiellement une idylle, « d'yeux plus que de corps ». La différence d'âges, le décorum et l'isolement bourgeois de sa vie à elle élevaient une barrière entre eux ; la conscience troublée de Joyce en élevait une autre — « Eh ! doucement, Jamesy ! N'as-tu pas marché la nuit par les rues de Dublin, et, sanglotant, proféré un autre nom ? »

Il pressa Amalia d'assister à une conférence qu'il donnait sur *Hamlet*, dans laquelle il décrivait l'ascendant de
son père sur elle. Il mêlait en un seul personnage un
Polonius bavard et un Leopoldo Popper prudent et rusé.
Lorsque, peu après, se présentant à sa porte, il apprit
qu'elle était à l'hôpital pour une appendicite, il repartit
affolé. Il imaginait ce corps virginal fouillé par le scalpel du
chirurgien, ces beaux yeux d'antilope dilatés par la souffrance. Elle se rétablit, mais il perçut bientôt une froideur
dans ses sourires ; elle évitait son regard. Le jour où l'on
demanda à Joyce de ne plus venir, il lui sembla que le piano
qui se trouvait chez la jeune femme avait l'air d'un cercueil.
Ce n'était pas seulement la fin d'une aventure non consommée mais aussi celle de sa jeunesse ; comme le dit le
narrateur de *Giacomo Joyce*, plongé dans les ténèbres :
« Jeunesse a une fin. La fin, la voici. Jamais elle n'aura lieu.
Cela, tu le sais. » Mais Amalia devint un matériau pour sa
fiction — « Écris-le, bon sang, écris-le ! de quoi d'autre
es-tu capable ? »

Il tomba ensuite amoureux d'une « Marthe », Marthe
Fleischmann, une beauté aristocratique qu'un riche ingé-
nieur du nom de Rudolf Hiltpold entretenait jalousement
dans un appartement proche de celui de Joyce, à Zurich.
Une femme oisive qui fumait, plaçait des mouchoirs parfumés à la rose dans son décolleté et lisait des romans bon
marché, tout comme le ferait Molly Bloom. Elle dut être

déconcertée par ce nouveau soupirant à l'excitabilité excessive. On raconte qu'en la croisant à l'entrée de son immeuble, il s'arrêta, interdit, pour lui dire qu'elle ressemblait à une jeune fille qu'il avait vue bien des années auparavant marchant dans l'eau sur une plage d'Irlande — sa future Nausicaa. Il l'assaillit de lettres avant même de connaître son nom. Après avoir glissé lui-même ses missives sous sa porte, il se postait dans la rue pour la regarder les lire. Elle dut être intriguée et probablement flattée par les déclarations fiévreuses et ampoulées qu'elles contenaient. Il espérait qu'elle était juive, une Marie païenne. (Sa Marie irlandaise était à la maison, exaspérée par les tâches ménagères.) Il la suppliait de lui répondre, invoquant contre toute attente l'aide de Dieu. Il écrivait en français ainsi qu'en allemand, et tentait maladroitement de déguiser son écriture de peur d'être découvert. Il l'avait vue portant un gros chapeau aux ailes flottantes et elle avait l'air d'un joli petit animal, avec quelque chose de franc et d'impudique malgré son allure hautaine. Lui n'était plus l'arrogant jeune homme qui avait éreinté ses collègues à Dublin, mais un suppliant, un pauvre chercheur dans ce monde, qui l'attendait et l'imaginait venant vers lui toute de noir vêtue, jeune, étrange et douce. Avalanche de désirs et égocentrisme vertigineux. Au cas où elle serait trop fatiguée ou nerveuse pour écrire, il joignait à sa lettre une enveloppe toute prête pour la réponse. Un mot suffirait. Oui ou non.

Souffrait-elle comme lui? Avait-elle perdu la tête? Lui, oui, certainement, car chaque jour en ouvrant le journal, il était terrorisé à l'idée de lire son nom dans la rubrique nécrologique. Son épouse ne savait rien, car sinon quel grabuge! Des années plus tard, Nora s'indigna de le voir photographié aux côtés d'une femme en vue qui prétendait qu'*Ulysse* était son livre de chevet. Il aurait voulu faire porter des fleurs à Marthe, mais il avait peur. Leur secret pourrait être découvert. Il lui envoya un exemplaire de *Musique de chambre*, puis se tint devant sa fenêtre pour la regarder déchiffrer les notes de son âme. Elle était sa « rose mystique ».

Elle accepta de le rencontrer. Joyce, qui avait toujours su choisir ses dates, fixa celle de son propre anniversaire, le 2 février, qui était aussi le jour de la Chandeleur. Le rendez-vous devait avoir lieu dans l'appartement de Frank Budgen. Ayant de l'affection pour Nora, celui-ci fut d'abord réticent, mais il céda lorsque Joyce lui dit que cette aventure était nécessaire à son développement spirituel et artistique. Il arriva en avance, apportant un chandelier à sept branches qu'il avait emprunté à un antiquaire. Questionné à ce sujet, il répondit que c'était pour une « messe noire ».

Sur les murs de l'appartement de Budgen figuraient des tableaux qui semblaient ne pas convenir à un rendez-vous galant. Joyce insista donc pour que Budgen esquisse quelques nus au fusain, puis quitte son appartement et le rejoigne plus tard chez lui pour fêter son anniversaire avec Nora et les enfants. À la tombée du jour, tout était prêt. Il alluma les chandelles par romantisme, mais aussi pour pouvoir contempler son hôte sous une lumière flatteuse. Sa Marie païenne céda sans céder. Il confia plus tard à Budgen qu'il avait « exploré les régions les plus froides et les plus chaudes du corps féminin ». Allez y comprendre quelque chose ! Elle apparaîtrait dans son roman sous le nom de Martha, affublée de certains des traits de Molly Bloom. Lorsque son amant jaloux découvrit son écart de conduite, Joyce fut convoqué chez Marthe où, n'ayant pas le tempérament de Pouchkine, il s'excusa, plaida la faiblesse masculine et promit de ne plus la voir.

Dans *The Book as World*, Marilyn French écrit : « Il semble certain que Joyce méprisait les femmes. » Pourtant non ; tout chez lui, esprit comme œuvre, est complexe et paradoxal. Il s'accorde avec Blake pour choisir une femme « sensuelle et plutôt simple », mais il reconnaît que Blake, tout comme lui-même, voulait dans son sublime égoïsme que l'âme aimée fût entièrement son œuvre. Jeune homme, il lui arrivait d'être assez vulgaire ; Stanislaus révèle que James se plaisait à deviner quelles étaient les femmes les plus chaudes capables de « tromper leur homme ». Il aimait à citer un bon mot de l'époque qui présentait crûment la femme comme un animal qui urine une fois par jour, défèque une fois par semaine, saigne une fois par mois et met bas une fois par an.

Comme tout grand artiste, Joyce avait des idées radicales et changeantes sur les choses. Dans un article sur *Maison de poupée*, il écrivit qu'Ibsen avait traité de la révolution la plus importante qui soit, celle qui touchait aux rapports entre hommes et femmes. Parallèlement, il prétendait que les femmes irlandaises étaient la cause de tous les suicides moraux. S'il louait le mariage de Socrate avec Xanthippe, c'était uniquement parce qu'en ayant à s'accommoder d'une mégère, Socrate avait pu perfectionner son art de la dialectique. Cependant, il affirmait qu'un homme qui n'a pas vécu quotidiennement avec une femme est incomplet, et citait Jésus, Faust et Hamlet en exemple.

Dans ses premières œuvres, les femmes sont des créatures sacrificielles modelées sur celles de son entourage, les mères et les sœurs socialement et économiquement redevables aux hommes qu'elles servent. Épuisées par les grossesses, les tâches maternelles et la toilette des morts, elles pensent s'assurer la miséricorde divine dans l'au-delà.

Dans la nouvelle *Eveline*, une jeune fille est assaillie de doutes au moment de s'embarquer sur le navire qui doit l'emmener très loin de chez elle avec son amoureux. Un peu plus tôt, l'air que jouait un orgue de Barbarie lui a rappelé la promesse faite à sa mère mourante de veiller sur sa famille. Et quand il faut franchir la barrière, « toutes les mers du monde se déversent sur son cœur » et elle recule en criant « Non ! Non ! Non ! », le visage inexpressif, ses yeux n'adressant aucun signe d'amour, d'adieu ni de reconnaissance à son compagnon. Elle a décidé de retourner auprès son père. En réalité, Joyce a bien plus d'empathie pour les femmes que pour les hommes. *Un cas douloureux*, écrit quand il avait une vingtaine d'années, raconte l'histoire de l'infortunée Emily Sinico, qui tombe amoureuse d'un certain Duffy, un homme qui « avait horreur de tout ce qui était signe de désordre physique ou mental ». Emily Sinico l'incite à laisser s'épanouir sa nature et devient sa confidente jusqu'au jour où, imprudemment, elle presse sa main contre sa joue. C'en est trop pour ce célibataire épris de solitude. Il rompt alors définitivement leur relation. Quatre ans plus tard, en lisant le bref récit de sa mort dans un journal du soir, il se sent rempli de dégoût, la fille de la malheureuse ayant déclaré à l'enquête que sa mère avait pris l'habitude de sortir tard le soir pour acheter des spiritueux et s'était ainsi fait écraser alors qu'elle tentait de traverser une voie de chemin de fer. À la fin de l'histoire, la répulsion de Duffy fait place au remords de l'avoir tuée. Dans toutes les nouvelles de Joyce, les femmes, bien que victimes, sont moralement supérieures. Elles sont plus nobles que les hommes qui les ont dominées. Dans *Les Morts*, Gabriel Conroy contemple sa femme endormie et comprend le peu de place qu'il tient dans sa vie au regard de celle de l'amoureux mort qui hante ses rêves.

Dans *Portrait de l'artiste*, œuvre qui fait une plus grande place à l'esthétique, les femmes sont idéalisées, ce sont des oiseaux de mer qui marchent dans l'eau les jupes relevées en toute innocence; mais après sa rencontre avec Nora Barnacle, ses personnages féminins incarnent à la fois l'ange et la bête. De victimes, elles deviennent tentatrices et sorcières. Dans *Ulysse*, elles se montrent maîtresses dans l'art de la ruse et du charme. Gerty MacDowell sur la grève de Sandymount, sa fleur jaune punissant la fleur masculine de Leopold Bloom préfigure Molly Bloom, une femme excessive en tout. Vladimir Nabokov parlera de la banalité et de la vulgarité de Molly et dira qu'il aurait aimé qu'une pointe bien affûtée coupe ses interminables phrases. Son créateur voyait les choses différemment. Il conservait la photo d'une statue grecque sur son bureau pour mieux s'immerger dans sa création dont les quatre points cardinaux sont les seins, le cul, la matrice et le con. Joyce admettait que c'était plus obscène que tout ce qu'il avait écrit auparavant, mais ajoutait que Molly était «parfaitement saine, complète, amorale, fertilisable, déloyale, engageante, prudente, indifférente». Le credo de Molly est: «Payons-nous un peu de bon temps!» Indifférente à la politique («ces *Sinner Fein*»), elle s'étend sur chaque détail de la vie et imagine de nouvelles aventures même si son amant,

Blazes Boylan (qui «ne saurait distinguer un poème d'un choux»), vient de lui rendre visite. Elle songe à son mari qui baguenaude en regardant les femmes, leurs lèvres poisseuses et leurs beaux atours, puis rentre à la maison avec une histoire à dormir debout, mais Molly, qui a des yeux derrière la tête, sait qu'il «a fait ça quelque part». Elle en conclut que ce n'est pas de l'amour, sinon il serait tout tourneboulé. Seule la Bourgeoise de Bath, de Chaucer, peut égaler Molly en jugements francs et humoristiques sur les hommes.

Dans *Sexual Politics*, Kate Millett soutient que Joyce «participe naïvement au culte de la femme primitive». Il n'y a aucune naïveté chez Joyce, qui, s'il dépeint les femmes comme sexuellement primitives, montre en cela plus de prescience que quiconque avant ou après lui. En réalité, il fait preuve de beaucoup plus d'indulgence pour les femmes que pour les hommes, avec raison si l'on considère le dévouement de son trio formé de la muse, de l'éditrice et de la mécène : Nora, Sylvia Beach, Harriet Weaver. Il faisait beaucoup plus confiance aux femmes qu'aux hommes et disait des relations entre les hommes qu'elles sont fondées sur «l'incertitude, la jalousie, l'hostilité et l'affection», toutes ces émotions que l'on «regroupe sous le nom d'amitié».

Bien que ses créatures romanesques n'aient peut-être pas l'aura de raffinement que possède *La Blanche Déesse* de Robert Graves, elles règnent en souveraines sur leurs propres mondes.

CHAPITRE 14

« *Ulysse* »

En 1915, l'Italie entra en guerre ; Trieste fut alors déclarée zone occupée et Joyce, s'il restait, risquait l'internement. En outre, tous ses élèves avaient été appelés sous les drapeaux. Stanislaus, qui avait imprudemment affiché ses opinions anti-austro-hongroises, fut interné dans un camp, contrairement à son renard de frère — « un jésuite pour la vie, un jésuite pour la diplomatie ». Le temps était venu de partir à nouveau. Il s'en retourna donc à Zurich avec Nora et les enfants, où il passa une partie des sept années qu'il devait consacrer à *Ulysse*, se transformant en un « lyrico-mathématico-astronomico-mécanico-géométrico-chimico-esthéticien-du-cul ». Il s'avéra également enclin aux crises nerveuses, aux ulcères et aux affections oculaires. Il dit un jour qu'il n'y avait de place dans le cœur d'un homme que pour un seul roman et que les autres n'en étaient que la répétition, habilement déguisée. Il aimait à se rappeler qu'il avait entrepris son grand œuvre au début de la trentaine, à l'âge où Dante commençait *La Divine Comédie* et où Shakespeare se débattait avec la Dame noire de ses sonnets.

Ulysse est la quintessence de tout ce que Joyce a pu voir, entendre et surprendre : s'y côtoient consécration et profanation, sérieux et comique, hermétisme et frivolité, logique et inconséquence, bruits et silences, chevauchements et anapestes, tintement des sabots des chevaux et son étouffé de ceux des bœufs, sans oublier une curieuse ribambelle de Dublinois, tout cela un 16 juin 1904, en souvenir de son premier rendez-vous avec Nora.

L'histoire est assez simple et conventionnelle ; les personnages — dont les principaux sont Stephen Dedalus, Molly Bloom et son mari Leopold Bloom — n'ont rien de tragique ni d'héroïque, mais ils se révèlent dans le « dévoilement ininterrompu de la pensée », technique du « monologue intérieur » que Joyce reconnaissait volontiers avoir découverte dans un roman d'Édouard Dujardin, tout en estimant qu'il donnait à ce dernier « un gâteau contre un pain ».

Stephen, Télémaque embryonnaire, quitte son logement de la tour Martello, se rend à Dublin, donne une leçon en posant des devinettes, croise le fer avec le directeur de l'école puis se rend sur la plage de Sandymount où sa rêverie esthétique est interrompue par le harcèlement de

sa conscience ; là, l'idéalisation des jeunes filles, qu'il imagine aussi innocentes que des oiseaux de mer, contraste
avec des visions de prostituées à la blancheur de démons
femelles. À la nuit tombante, il rencontrera Leopold Bloom
dans le repère des étudiants d'un service d'obstétrique,
tour de Babel linguistique où une femme n'en finit pas de
donner naissance à sa «brute» de petit garçon.

Leopold Bloom, homme féminin, commence sa journée en s'achetant des rognons pour le petit déjeuner. À son
retour, il ramasse son courrier et reconnaît sur une lettre
l'écriture de Blazes Boylan, l'amant et impresario de Molly :
«Son cœur battant ralentit aussitôt.» À dix heures, il part
travailler, son emploi consistant à vendre des espaces
publicitaires pour le journal *Freeman*. En chemin, il va
chercher une lettre compromettante que Martha Clifford,
une dactylographe éperdue d'amour pour lui, lui a envoyée
poste restante au nom de Henry Flower. Il fait une halte
dans une église où il espère en vain entendre de la musique
sacrée, commande à sa femme une lotion pour le visage,
visite les bains publics, se rend à un enterrement à Glasnevin en compagnie de quatre Dublinois pontifiants,
s'offre un verre de bourgogne, va à la Bibliothèque nationale pour consulter les réclames parues dans de vieux journaux, achète à son épouse un livre coquin intitulé *Sweets of
Sin*, dîne de bonne heure dans la salle à manger de
l'Ormond Hotel, aperçoit son rival, Blazes Boylan, qui est

entré pour s'en jeter un rapidement, surprend ce que dit Simon Dedalus, le père de Stephen, et l'entend chanter une complainte sur l'exil et la séparation, s'énerve à l'idée de l'intimité prochaine de Boylan avec Molly Bloom, essaye en vain de ne pas y penser, adresse cette exclamation nostalgique à son fils mort: « Haine. Amour. Ce ne sont que des mots. Rudi. Je serai bientôt vieux. » Plus tard, il est pris à parti par un nationaliste irlandais, se console en allant marcher sur la grève de Sandymount où ses yeux fureteurs se posent par hasard sur Gerty MacDowell, elle-même débordante de désirs de rébellion. Sachant qu'elle succombera, Bloom se blâme: « Cette fois encore? » Il s'arrête ensuite à la maternité où Mina Purefoy, épouse d'un méthodiste, est en travail depuis trois jours pendant que les étudiants frivoles se distraient en buvant et en chantant.

> Il la chatouilla primum
> La tapota secondum
> Et lui mit le speculum
> Car c'était un carabin
> Bibi carabi...

Plus tard dans la soirée, il se retrouve en compagnie de Stephen Dedalus (passablement ivre) au grotesque bordel de Bella Cohen. Les copulations entre vivants sont interrompues par l'arrivée des morts — surgit d'abord un Shakespeare glacial couronné par l'image réfléchie d'une

ramure de cerf servant de portemanteau ; puis apparaît la
mère de Stephen, pareille aux sorcières de Macbeth avec ses
orbites creuses, sa bouche édentée et sa robe gris lépreux,
disant à son fils qu'elle l'aimait lorsqu'elle le portait dans
son ventre et l'enjoignant de prendre garde. « Chierie »,
réplique-t-il en guise de représailles. Il ne servira point.
Non serviam !

En chemin vers le 7 Eccles Street, ils s'arrêtent à l'Abri
du Cocher pour avaler une tasse de café dégrisante puis, de
là, se rendent à la maison des Bloom, l'Ithaque tant recher-
chée. Arrive le « clou » du livre : Bloom retrouve le lit nuptial où il s'endort au côté de sa femme, personnification de
la fidèle Pénélope. Molly, merveilleusement licencieuse,
cabocharde et dépourvue de toute culpabilité, devine autant
les frasques de son mari que celles de n'importe quel autre
mécréant ; elle refuse de prendre une bonne chez elle de
peur que Bloom ne la lutine dans les W.-C., mais n'aurait
rien contre un jeune garçon qu'elle ferait rougir en lui laissant voir ses jarretières. Ses souvenirs affluent : les manières
entortilleuses de son mari, les culottes noires qu'il lui fit
acheter, la mise au monde de sa fille Milly, ses ébats avec
Boylan un peu plus tôt, un corset qu'elle voudrait s'offrir,
les montagnes et les prés, l'abondance de la nature et les
beaux troupeaux déambulant dans les champs d'avoine, les
fleurs de toutes sortes poussant dans les fossés, les prime-
vères et les violettes, son premier baiser sous le mur de

Moorish, Bloom lui faisant la cour, et ce torrent d'images se termine par un bouquet de « oui ».

La langue est le héros et l'héroïne d'*Ulysse*, langue en constant mouvement et d'une virtuosité éblouissante. Toutes les notions convenues sur le roman — histoire, personnages, intrigue et polarisation humaine — sont mises à mal. En comparaison, la plupart des œuvres de fiction semblent pusillanimes. Faulkner se voyait comme l'héritier spirituel de Joyce et, bien que le rythme effréné de leur langue soit parfois comparable, les personnages de Joyce ont plus de densité humaine et Dublin, loin d'être une simple toile de fond, joue le rôle d'un personnage à part entière, tout aussi riche et musical que les autres. Aucun autre écrivain n'a recréé une ville avec autant d'éclat et de passion.

À chaque chapitre, il attribue un titre, une scène, une heure, un organe, un art, une couleur, un symbole et une technique ; ainsi visite-t-on successivement la tour, l'école, la plage, la maison, les bains publics, le cimetière, le journal, la taverne, la bibliothèque, la rue, la salle de concert, la seconde taverne, à nouveau la plage, la maternité, le bordel, la maison et le grand lit. La liste des organes inclut les reins, les parties génitales, le cœur, le cerveau, l'oreille, l'œil, le nez, l'utérus, les nerfs, la peau et le squelette. Parmi les symboles, il y a le cheval, la marée, la nymphe, l'Eucharistie, la virginité, les Fenians, la prostituée, la terre. Les techniques utilisées vont du narcissisme au gigantisme, et de la tumescence à l'hallucination. Enfin, les styles varient tant que les 18 épisodes pourraient en vérité être considérés comme autant de romans différents regroupés sous un même titre.

Joyce avait toujours admiré le héros homérique de l'*Odyssée*, non pas pour ses prouesses guerrières (il laissait les armes aux simples mortels), mais pour sa ruse. Il plaçait Ulysse au-dessus d'Hamlet, de Don Quichotte ou de Faust, car c'était selon lui le personnage le plus humain de la littérature : un homme qui ne cherchait pas à verser le sang et qui comprenait que la guerre était motivée par des intérêts commerciaux. Lorsque l'officier recruteur le trouve en train de labourer son champ avec non loin son fils âgé de deux ans, Ulysse feint la folie pour ne pas être enrôlé. Soupçonnant une ruse, l'homme dépose le petit devant la charrue, obligeant Ulysse à la retenir. Plus tard, il sera au nombre des soldats cachés dans le cheval de bois qui vaincra les Troyens. Son long voyage de retour vers Ithaque en fera, aux yeux de Joyce, un héros plus grand qu'Achille ou Agamemnon. Et ce héros grec devait trouver un équivalent moderne en la personne de Leopold Bloom, dont les conquêtes sont loin d'être sanglantes !

Il se passera bien des années avant que Joyce ne commente son livre. Il sera très marqué par le mauvais accueil que reçurent, à Munich, *Les Exilés* — pièce qu'on qualifia de « ragoût irlandais » —, par son combat pour que paraisse *Portrait de l'artiste* et par les déménagements constants de la « caravane familiale ».

Joyce parlait rarement de la guerre et n'écrivit rien sur ce sujet. Il pensait que tout ce qui touchait à la politique était l'affaire des spécialistes et qu'il n'était personnellement spécialiste que d'une chose. Il jugeait inutile la rébellion de 1916 à Dublin. Yeats, au contraire, écrivit de magnifiques pages sur le courageux petit groupe qui fit flotter le drapeau irlandais sur la poste et qui fut exécuté peu après. Des années plus tard, Joyce dit à l'écrivain polonais Jan Parandowski que, pendant que l'on se battait sur tous les fronts, que les empires tombaient, que les rois partaient en exil et que l'ordre ancien s'effondrait, il avait la conviction de travailler pour un lointain avenir. Il n'était peut-être pas allé au front, mais vivait quotidiennement avec lui-même dans les tranchées, faisant et défaisant son ouvrage ; staccati, accords brisés et une recréation si troublante de Dublin qu'elle pourrait servir de schéma directeur à la reconstruction de cette ville si elle venait à être détruite.

Ulysse ne fut édité aux États-Unis que 20 ans après sa parution ; l'abrogation de la loi sur la prohibition coïncida avec le jugement autorisant sa publication, ce qui amena l'un des défenseurs de Joyce à remarquer qu'esprits et bouteilles avaient été débouchés en même temps. M. Woolsey, juge à la Cour fédérale du district de New York, décréta au procès que le livre n'était pas « sale pour le plaisir de l'être ». Il n'y « détectait pas le regard concupiscent de la sensualité » et il montrerait que l'accusation de « pornographie » sur laquelle reposait la plainte de la Société pour la prévention du vice de New York était sans fondement. Le juge Woolsey fit beaucoup pour Joyce et pour la littérature, mais la lecture de son arrêt révèle clairement qu'il subissait l'influence vertigineuse du maître. Il y est notamment question de « l'écran de la conscience avec ses impressions kaléidoscopiques toujours changeantes » sur lequel est peint, « comme sur un palimpseste de plastique, non seulement ce qui est central à l'observation de ce qui entoure chaque homme, mais aussi la sombre zone résiduelle des impressions passées, certaines récentes et d'autres arrachées par association au tréfonds du subconscient ».

Tous ceux qui ont fréquenté l'œuvre de Joyce semblent avoir été transportés et nous font nous écrier comme Molly Bloom : « Ô, balançoire ! Sortez-moi ça en mots simples. » Stuart Gilbert évoque le « souffle divin [qui] fait enfler le kyste créateur » et « l'outre de vents semblable à celle qu'Éole remet à Ulysse » ; un autre expert nous entretient de « la nébuleuse embrumée de la lumière érotique qui revêt une signification purement coprologique ». Un autre encore, dissertant longuement sur la signification existentielle du vase de nuit dans la chambre de Molly, conclut qu'il symbolise notre ère de gaspillage et que la rayure orange sur la poignée rend hommage au drapeau de Gibraltar. Joyce choisissait son vocabulaire de la façon «la plus froide et la plus crue», et le maniait tel un tireur d'élite. Il disait posséder tous les mots, qu'il s'agissait simplement de les placer dans le bon ordre. Il étudiait longuement chaque terme, son rythme, son sens, sa pertinence, sa beauté, sa vulgarité, sa myriade d'associations, mais parfois aussi son fondement prophétique. Chaque mot, comme chaque image, était soumis à une investigation minutieuse. Et il était encore insatisfait. Il voulait une langue qui surpassât toutes les autres et refusait de s'enfermer dans une quelconque tradition. Il voulait être Dieu.

Sans vergogne, il harcelait ses amis et connaissances pour obtenir d'eux des anecdotes ou pour qu'ils lui parlent de Leopold Bloom. Sa correspondance depuis Trieste avec son ami Frank Budgen, à Zurich, donne une idée de la minutie de ses recherches et de son esprit foisonnant. Un mot clef suffisait à le lancer, explique-t-il, et il faisait toujours bon usage de toute anecdote qui lui était contée. D'amis restés à Dublin, il veut savoir quelle est la marque du piano mécanique qui se trouve dans le bordel de Bella Cohen, quelle sorte de lampe Stephen Dedalus brise avec sa canne lorsque lui apparaît le fantôme de sa mère, et quels jolis airs de music-hall l'on y chante. Il retiendra *Ma gosse, elle, est du Yorkshire*. Il soumettait aussi à son entourage des problèmes plus difficiles à résoudre, comme celui du moly, cette fleur qu'Hermès donne à Ulysse pour le protéger des sortilèges de Circé, une fleur blanche à racine noire et réputée pour ses pouvoirs magiques. Elle amena Joyce à se poser une série de questions : allait-elle être une protection invisible contre les accidents, et de quelles sortes ? Contre la syphilis peut-être ; puis il se demanda si le mot syphilis n'avait pas pour origine *swine love* (amour de cochon) ou *sun phileis* (en rapport avec l'amour). Le moly pourrait-il encore être l'absinthe qui rendait les hommes impuissants, le jus de chasteté, l'onction préventive ? Il avait correspondu avec la baronne de Saint-Léger, « sirène du lac Majeur », qui l'avait assuré qu'il s'agissait de la fleur d'ail. Il consacra Hermès dieu des poteaux indicateurs et berger de Leopold Bloom. La Grèce et Dublin, l'ancien et le moderne, se fondaient en un.

Le voilà qui travaillait dix heures par jour, entouré de dictionnaires de rimes, de cartes, de répertoire des rues, de l'*Histoire de Dublin* de Gilbert, harcelant ses amis pour obtenir des informations précises sur un sujet ou un autre, une liste de magasins, le nombre de marches montant au 7 Eccles Street ; réclamant à la fidèle tante Josephine de noter sur une feuille toutes les balivernes qui lui venaient à l'esprit et de lui fournir des renseignements sur l'hiver glacial de 1893 : le canal avait-il suffisamment gelé pour qu'on y patine ? Après chaque épisode, il s'effondrait, sa vue plus mauvaise que jamais, et devait prendre le lit ; Nora le soignait en l'écoutant pester contre ce « bon sang d'Homère, bon sang d'Ulysse, bon sang de Bloom ».

Mais son pouvoir de récupération était grand et il se remettait bientôt à enseigner, à écrire, à visiter les tavernes et les bordels, ces « lieux les plus intéressants qu'offre une ville ». Il envoyait à Stanislaus, qui avait déménagé, des billets lui demandant comment il était censé manger, jouait un air sur le piano acheté à crédit pour oublier ses ennuis, et embobinait le propriétaire pour obtenir une semaine ou un mois de sursis. Les épreuves domestiques ne semblaient pas l'atteindre, du moins pas encore. Zurich était une ville animée et stimulante. Grecs, Polonais, Allemands, objecteurs de conscience, artistes, escrocs et espions s'y étaient rassemblés et fréquentaient le Pfauen Café où Joyce venait boire et entendre discuter de futurisme, de cubisme et de dadaïsme.

L'auditoire devait être fasciné par cet Irlandais dégingandé aux cheveux blonds roux, à la poignée de main molle et à l'esprit souple, qui questionnait chacun sur ce qu'il savait le mieux et notait sur des bouts de papier, qu'il enfouissait ensuite dans ses poches, les mots argotiques et les anecdotes qu'il entendait. Il parlait couramment cinq langues et se débrouillait en grec moderne. Les Grecs portaient chance, et les nonnes malchance. Il voulait savoir si les pigeons qui volaient entre Charybde et Scylla ressemblaient à ceux de Dublin, et accueillait avec bonheur les descriptions anatomiques des sirènes dans leur grotte de corail, posant pour ensorceler les marins. Tout un chacun pouvait lui apprendre quelque chose des us et coutumes de son pays. Il interrogea les habitants du coin sur le rite de fertilité qui consiste à brûler le démon de l'hiver sur un bûcher. Il recopiait des chansons françaises et appréciait particulièrement celles à caractère scatologique. Il avait sur lui un pantalon de poupée miniature qu'il enfilait sur deux doigts et faisait danser comme une marionnette sur le comptoir du café, à la grande joie d'une clientèle hétéroclite. Un jour qu'il était d'humeur plus sérieuse, il fit tout un cours à Frank Budgen sur l'importance de cet auguste vêtement.

Des années plus tard, le poète irlandais Austin Clarke raconta que, lors de sa rencontre avec Joyce à Paris, celui-ci voulut entendre les dernières histoires cochonnes que se racontaient les écoliers de Dublin. Clarke pensait que Joyce était atteint «d'une forme particulière de pornographie irlandaise», mais que c'était aussi un rêveur. Rêveur et charmeur, pourvoyeur de substantifs et orfèvre suprême, il rentrait chez lui avec un verre dans le nez et en récitant Verlaine, mais était toujours d'aplomb pour affronter l'épuisante journée du lendemain, capable de donner vie aux plaisanteries, aux obscénités, aux chansonnettes, aux débris de tout ce qu'il avait recueilli pour rendre son livre plus universel et plus vaste. Pour un écrivain de moindre talent, ces dissipations auraient été désastreuses, mais Joyce devait tout expérimenter afin de pouvoir tout écrire. Et plus encore, il entendait stupéfier ses lecteurs, les amener à un degré de conscience jamais atteint. Il réfutait les « expérimentations » de Marcel Proust, dont il disait : « Nature morte analytique. Le lecteur termine les phrases avant lui. » Il ouvrirait des brèches dans des frontières inconnues.

« Approchez un encrier », écrivit-il à Frank Budgen. Budgen avait été marin et Joyce devait transposer dans la bouche des vagabonds de Dublin son expérience de la mer, ses histoires de marins, leur argot, leurs affres sexuelles. Après s'être laissé supplier et cajoler des mois, Budgen se rendit à Paris. Les plaisirs devinrent plus grisants encore. Ils sortaient tard, de plus en plus tard ; dans un bar, Joyce insista pour qu'on leur permît de rester dans un salon après la fermeture et, lorsqu'aux petites heures du matin ils prirent enfin le chemin du retour, Joyce lui offrit son imparable imitation d'Isadora Duncan, coordonnant savamment bras, jambes, canne et grimaces — spectacle que Budgen compara au rituel bouffon d'une religion comique. Ils rirent beaucoup, réveillèrent les voisins et retrouvèrent une Nora furieuse leur criant par la fenêtre de cesser ces folies. En vain ! Rien ne put tempérer l'énergie et la gaieté de Joyce pendant ces années, si riches en expériences bien qu'épuisantes. Au retour d'une de ces nuits de bamboche, Nora lui fit accroire qu'elle avait déchiré son manuscrit, ce qui le dégrisa suffisamment pour qu'il mette l'appartement sens dessus dessous jusqu'à ce qu'il le retrouve. Ce livre est « ein Schwein », disait-elle. Faire ribote n'était qu'un aspect des choses ; il en existait un autre que peu de gens connaissaient et qui ne prêtait ni à rire ni même à sourire : courir d'une leçon ou d'un créancier à l'autre, « enfermé dans l'isolement intérieur de son être », comme le nota le romancier Italo Svevo.

Les frictions entre James et Nora étaient inévitables. Les écrivains sont un fléau pour leur entourage. Ils sont à la fois présents et absents. Présents de par leur incessante curiosité, leurs demandes, leur esprit classificateur, leur désir de connaître tout de l'autre, désir qu'ils déchargent dans leurs œuvres. Lorsqu'il n'enseignait pas, Joyce se tenait dans l'une des chambres, une valise sur les genoux en guise de bureau, faisant vivre rues, magasins, auvents, dictons, le « silence druidique » de la mer et des amoureux sur les balançoires de Stephen's Green, leurs ombres enlacées. Les photographies de Nora avec ses enfants montrent une femme moins enjouée, plus solennelle, peu encline à sourire. Elle avait le mal du pays sans vouloir pour autant rentrer chez elle. À sa domestique, elle parlait souvent de l'Irlande, du linge qui séchait si rapidement au vent, mais selon Joyce elle détestait sa race. Elle était de plus en plus épouse et mère, et de moins en moins « fleur bleue des montagnes ». Il faisait parfois allusion dans ses lettres aux nerfs ou à la dépression nerveuse de Nora, ou encore à sa peur de perdre ses cheveux. Insatisfaction hivernale du mariage.

Tout n'était cependant pas si noir. Il commençait à y avoir des admirateurs, et aussi quelques rentrées d'argent, à mesure que paraissaient les chapitres de *Portrait de l'artiste* dans des magazines anglais et américains. Ezra Pound, qui plaçait Joyce au-dessus de tout autre écrivain vivant, entreprit la lourde tâche de faire éditer le livre en Angleterre. Pound fulmina lorsqu'il lut le rapport qu'Edward Garnett avait rédigé pour les éditions Duckworth et il proposa qu'on envoie immédiatement cette personne sur le front serbe pour l'empêcher de nuire davantage, ajoutant qu'il ne transmettrait pas ces piaillements même à un imbécile, et encore moins à Joyce. Garnett trouvait le livre « trop bavard, sans forme, sans retenue ; de vilaines choses, de vilains mots trop mis en valeur ». Pound jugea ces remarques symptomatiques de la jalousie qui empoisonnait le monde des lettres et, quant à demander à Joyce d'effectuer les coupures proposées par l'éditeur, cela équivaudrait à faire tenir « la Vénus de Milo dans un pot de chambre ».

Pound et Yeats tentèrent en vain de lui obtenir une bourse du Royal Literary Fund. Harriet Weaver, rédactrice en chef de la revue *The Egoist*, fut si touchée par l'« esprit pénétrant » du livre qu'elle décida de verser à Joyce une pension trimestrielle de 50 livres pendant toute la durée de la guerre. Le don suivant lui vint d'une source plus mondaine : Mrs. Harold (Edith Rockefeller) McCormick, adepte de Carl Gustav Jung et mécène des arts à Zurich. Elle lui accordait une bourse de 12 000 francs, payable en mensualités de 1000 francs. Il dut emprunter un costume noir pour se présenter chez le banquier et, ce soir-là, se permit une double ration de vin de Nostrano.

Mais les cadeaux ont un prix ; Joyce en fit régulièrement l'expérience, sauf avec Harriet Weaver. Edith McCormick lui retira abruptement son aide financière et refusa de rencontrer Joyce malgré ses suppliques. Comme toujours, il crut à la trahison d'un ami. Ottocaro Weiss, supputa-t-il, avait probablement dit à la dame qu'il détestait Jung, lequel à son tour avait conseillé à celle-ci de cesser sa distribution d'argent, arguant qu'une existence spartiate pourrait aider Joyce à rompre avec ses habitudes dissolues. Il ne lui vint pas à l'esprit qu'Edith McCormick pouvait être aussi capricieuse que n'importe quel autre magnat. Depuis l'Angleterre, ses admirateurs lui firent savoir qu'en échange des 100 livres qui lui étaient versées par la cassette royale, il serait bon qu'il fasse un geste pour la cause des Alliés, en d'autres termes qu'il écrive des articles journalistiques. Comme cela lui était impossible, il se lança dans une nouvelle entreprise qui allait non seulement le détourner de son travail, mais également affecter sa santé déjà fragile. Avec son ami l'acteur Claud Sykes, il fonda une troupe de théâtre, les English Players, qui devait se produire partout en Suisse. Il choisit un programme de pièces irlandaises — dont *À cheval vers la mer* de Synge (dans laquelle Nora eut un rôle), et *De l'importance d'être constant* d'Oscar Wilde — et remplit simultanément les offices de dramaturge, de metteur en scène, de souffleur et, de façon plus téméraire, de directeur.

Il fallut peu de temps pour qu'une altercation éclate avec ses puérils collègues anglais. L'aversion que Joyce éprouvait pour la mentalité étouffante de l'Irlande catholique n'avait d'égale que celle qu'il affichait à l'égard de l'impérialisme britannique. Henry Carr, ancien soldat de Sa Majesté et maintenant employé du consulat britannique, tenait un rôle mineur dans la pièce de Wilde et s'était acheté, pour l'occasion, un pantalon. Joyce, en tant qu'intendant, donna à Carr un cachet moitié moins élevé que celui des rôles titres et lui réclama le paiement de cinq billets que l'acteur avait pris pour des amis. Carr se déclara insulté par le montant dérisoire du cachet et exigea qu'on lui rembourse le prix du pantalon. Le ton monta. Carr accusa Joyce d'être « une canaille et un filou », un homme trop lâche pour s'engager dans l'armée. Ce dernier, outragé, décida que seule la justice pourrait laver l'affront. Son amertume vis-à-vis des Anglais connut un nouveau regain, améliorant du même coup l'image qu'il avait des Irlandais. «Une épingle de sûreté irlandaise vaut mieux qu'un poème épique anglais», lança-t-il. Il loua l'offensive allemande, troqua son quotidien contre un journal pro-allemand, et décida que les représentants de Sa Majesté étaient tous des propres à rien, des fonctionnaires pourtant censés veiller aux intérêts de Joyce à l'étranger et dont le salaire sortait de la poche d'hommes tels que son père. Le Premier ministre britannique, Lloyd George, à qui il avait demandé son appui, se contenta de souhaiter aux English Players beaucoup de succès. L'affaire passa ensuite devant le tribunal de Lausanne, Joyce ayant intenté un procès à Carr pour les cinq billets impayés; Carr contre-attaqua pour le pantalon et Joyce réclama enfin des dommages et intérêts substantiels pour les menaces de Carr et ses diffa-mations. Après des mois de procédures, Carr perdit sur un point, et Joyce sur l'autre. Ce dernier dut remettre la moitié du contenu de son porte-feuille à l'huissier qui menaçait, s'il ne payait pas l'amende, de saisir ses livres et sa machine à écrire. Joyce conclut l'affaire par ces rimes:

En Zurich la chassieuse un jour s'en vint un gars d'Irlande
Dans la ville un peu triste il veut monter une pièce
Histoire d'embêter un bon coup le Teuton et sa propagande
Mais le Philistin anglais fonça encore sur cet Oscar.

Il reprit donc le chemin de son étroite chambre et retrouva ses encres de couleur, sa valise-bureau, ses mélanges d'encens, sa mariolâtrie, la masturbation et les ragoûts de coques. Et si ses yeux se détériorèrent, il crut le devoir à Circé dont il avait sali la légende.

Ulysse fut écrit dans trois villes : Trieste, où il retourna après la guerre, Zurich, et enfin Paris, qu'il visita sur le conseil d'Ezra Pound et où il demeura 20 ans. Pendant les sept années de labeur que représenta *Ulysse*, il y eut des moments où l'auteur lui-même se retrouva « sur les écueils ». Les fragments du livre étaient dispersés un peu partout et une lettre adressée à Italo Svevo témoigne de l'incroyable mélange de chaos et d'exigence qui habitait Joyce. Il y avait, disait-il, dans l'appartement de son beau-frère, au quatrième étage, un porte-documents en toile cirée fermé par un élastique, de la couleur d'un ventre de nonne et d'approximativement 95 sur 70 centimètres, dont il avait un besoin urgent pour terminer son « putain de sa mère de livre ». À l'intérieur, il avait placé « les symboles écrits des languissantes lumières » qui lui traversaient parfois l'âme. D'autres aspects de son œuvre seraient plus difficiles à avaler pour le public : ses monstruosités techniques, son indifférence à l'égard du genre humain, ses profanations stylistiques et un intérêt obsessif pour les fonctions corporelles qui frisait le macabre. Tout cela et

plus encore allait lui être reproché ; il se défendit en rappelant que l'obscénité est également écrite sur les pages de la
vraie vie, ajoutant que l'« on mesure une œuvre d'art à la
profondeur de la vie d'où elle jaillit ». La profondeur de la
sienne est incommensurable.

CHAPITRE 15

Sirènes

Pour son auteur, la progression d'*Ulysse* était comme celle d'un décapage, son audace s'accroissant à chaque nouveau chapitre, au fur et à mesure qu'il imaginait différents organes, couleurs, techniques et styles, ce qui fit dire à T. S. Eliot que Joyce avait révélé la futilité de tous les styles. Des signaux d'alarme lui parvenaient cependant. Harriet Weaver était déconcertée et commençait à voir dans son écriture « un affaiblissement ou une dispersion », qu'elle attribuait aux soucis financiers. M. Brock le pria d'expliquer la méthode qui présidait à sa folie.

Piqué au vif par ces reproches, Joyce ressentit le besoin de se justifier. Il faisait quelque chose de complètement nouveau et sa méthode, assurait-il, n'était en rien fantasque. Dans une lettre à Harriet Weaver, dont il dépendait autant sur le plan financier qu'émotionnel, il souligna que chaque section requérait une musique, une cadence et un style différents, et que n'en pas tenir compte nuirait à l'œuvre. On ne pourrait comprendre celle-ci que lorsque tous les éléments auraient fusionné. Certains préféreraient qu'il ne fasse pas de telles expérimentations, tout comme d'autres pensaient qu'Ulysse n'aurait jamais dû quitter son Ithaque, mais où aurait été l'aventure ? Ayant fait remarquer dans sa dernière lettre qu'il arrivait souvent des malheurs aux gens qu'il incluait dans son livre, Joyce semble presque satisfait d'annoncer dans celle-ci la mort soudaine de George Lidwell, l'avocat qui avait déserté pendant la bataille de *Dublinois* et qui revêtait les traits d'un soupirant malheureux dans *Ulysse*. Lidwell apparaît dans l'épisode des *Sirènes*, qui recèle parmi les pages littéraires les plus audacieuses jamais écrites. Sa « fugue », comme Joyce l'appelait, commence à Phœnix Park avec le départ du cortège du vice-roi, puis nous entraîne dans le brouhaha du bar de l'Ormond Hotel à l'heure du dîner — sabots ferrés, cliquetantacier, Adolores... Un cab cliquetant au trot cliquette... Pièces, cartel... Claccloc. Clicclac. Claqueclac.

Il est difficile d'imaginer le choc qu'éprouvèrent ceux qui lurent *Ulysse* pour la première fois. Miss Heap et Miss Anderson, les deux ardentes éditrices américaines qui publièrent *Ulysse* en feuilleton dans la *Little Review*, connurent une foule d'ennuis. Margaret Anderson avoua avoir pleuré en lisant les premières lignes de *Protée*, quand

Stephen Dedalus marche sur la plage de Sandymount et dit : « Signature de tout ce que je suis appelé à lire ici, frai et varech apportés par la vague, la marée qui monte ». Elle n'avait jamais rien lu d'aussi beau ou d'aussi transcendant, et promettait d'éditer *Ulysse* épisode par épisode, même si c'était la dernière chose qu'elle devait faire sur cette terre. Les épisodes furent publiés irrégulièrement sur une période de trois ans, mais les choses tournèrent mal lorsque parut le numéro contenant le chapitre au style « marmelade », *Nausicaa*, qui fut confisqué et brûlé sur ordre du Service des douanes américaines.

Le dixième épisode éblouit par ses prouesses sonores et narratives, par son tableau de l'aristocratie et du peuple déambulant dans les rues de Dublin, leurs rencontres ponctuées d'accords brisés et d'interjections sarcastiques. Les voitures à cheval emmenant le Lord Lieutenant, comte de Dudley, et son entourage « en gris perle et eau de Nil », franchissent le portail latéral de Phœnix Park, remontent les quais nord au-delà du pont Bloody, sont salués par certains passants mais pas par d'autres, tel ce piéton qui, tout en se grattant le nez, se demande s'il arrivera plus rapidement à Phibsborough en changeant trois ou quatre fois de tram, en hélant une voiture ou en allant à pied.

Gertie MacDowell, que l'on retrouvera plus tard pâmée sur la plage, se tord le cou pour essayer de voir la toilette de la vice-reine. Une deuxième femme n'aperçoit que des ombrelles planantes et des rayons de roues qui lancent des éclairs. Le soleil brille. Blazes Boylan, portant chaussures jaunes et canotier, une fleur rouge entre les lèvres, offre aux dames l'admiration insolente de ses yeux. Il sera intime avec Molly Bloom à quatre heures, mais se rend tout d'abord à l'Ormond Bar pour saluer les barmaids — les sirènes — et déguster un sirupeux gin à la prunelle. Officient de derrière le comptoir Miss Douce à la chevelure bronze et Miss Kennedy à la chevelure or. Pyramides de cheveux. Blouses de satin noir à deux shillings neuf le mètre.

« Mon Dieu ! Faut-il que les hommes soient idiots tout de même ! dit Miss Douce à Miss Kennedy. »

Bloom entre bientôt dans la salle à manger où Pat le déplumé, une sorte de serveur, prend sa commande. Purée de pommes de terre et foie, s'il vous plaît. Tout en se préparant à rédiger un billet doux clandestin, Leopold Bloom songe au triste prix de la vie, au temps qui passe, etc. Que l'on ne peut retenir. Comme essayer de retenir de l'eau dans de la mousseline. Miss Bronze déboutonne sa blouse noire pour voir si elle n'aurait pas pris un coup de soleil lors de ses récentes vacances à Rostrevor dans le comté de Down. Ce n'est pas le cas. Un peu de borax dans de l'eau de laurier-cerise fera l'affaire, dit Miss Or dans sa sagesse. Dedalus senior, père du modeste Stephen, presse la main de Miss Douce, puis bourre du blond de Virginie, blond de sirène, dans le fourneau de sa pipe. « Merci mille et mille fois. » Lenehan propose une devinette, celle de la cigogne et du renard. Les hommes boivent le nectar à longs traits. Il n'y a pas de dames parmi les clients. Boylan soulève le couvercle du piano et presse les touches en mettant la pédale douce pour entendre la chute amortie des marteaux.

Dans la salle à manger, Leopold Bloom, conscient de la présence de son rival dans les environs, sort deux feuilles de vélin crème pour écrire à ses amours. Miss Kennedy trousse et retrousse sa jupe, laisse se détendre sa jarretière élastique contre sa cuisse chaude, cuisse à claque, joliment gainée, et tance les hommes pour leur impertinente familiarité. Elle chantonne presque, la rose à son corsage se soulève, retombe. Le cartel clappe. Silence et bruit. L'un puis l'autre. Limbes. La pénombre abyssale fraîche et lisse, vert de mer. La lumière du soleil filtrée par un store doré. Tout et rien à la fois. Un saupoudrage de pensées, un tintement de caisse enregistreuse, un « bougre », une phrase inachevée — « pourquoi est-il parti si vite quand je ? » Communion et plaisanteries aléatoires entre les buveurs mais aussi éloignement troublant. Dedalus et Pat le déplumé se demandent si Bloom sait où va ce flibustier de Boylan. Chez une femme qui ne vaut pas mieux que lui, « avec son fession en rainure de jeu de boules ». Bloom sait et souffre : « Moi, lui, vieux, jeune ». En écarte la pensée en se laissant entraîner par le courant des images qui passent. La jalousie est le fait des médiocres, des esprits hygiéniques. Tables nettes, fleurs fraîches, serviettes en forme de mitre, une valeur sûre — «La plus avantageuse à Dublin».

Simon Dedalus, grand et solennel, tend un bras, entonne une chanson sur l'exil, une voile sur les vagues. Bientôt le voile d'une fille, deux minuscules volètements. Baume contre le monde extérieur. Plus tard, des disputes, une boîte de biscuits lancée, un feu d'artifice le soir, des invectives, une naissance repoussée, ivresse, remords et les ruminations fantasmagoriques de Molly Bloom sur les et cætera de l'amour charnel — «lolo lichelape-le».

Dans le bar, quelques mesures de musique, une autre voix, forte, pleine, brillante, venge le Jeune Rebelle ignoblement trahi par le Conquérant. Politique, histoire, sentimentalité et perte. Bloom, entraîné par l'ambiance musicale, rédige sa lettre, parle de la tristesse de la vie tout en espérant qu'elle aimera son «pauvre petit cad: mandat deux shillings six». Sa songerie l'amène à penser à son fils mort et lui arrache ce cri funeste: «La haine. L'amour. Des mots, Rudy. Bientôt je serai vieux.»

Bientôt le brouhaha du dîner cessera, les portes seront fermées pour l'heure de la pause, les hommes cuveront leur torpeur, Boylan arrivera au 7 Eccles Street et sera admis dans le sanctuaire de Molly Bloom. Bloom, peu enclin aux confrontations, reprend son vagabondage de chèvre-pied, croise un jeune aveugle, le toc toc toc de la canne, puis une putain sale avec son chapeau de guingois qu'il a connue dans sa jeunesse. Il se sent seul.

L'auteur de ce texte était sans nul doute conscient de l'orage qui approchait. Les réactions qu'avait suscitées sa « fugue » tenaient à la prodigalité de son style, mais le chapitre suivant, *Nausicaa*, constituait un véritable affont aux mœurs et à la moralité américaines. Lorsque Joyce apprit que les numéros de la *Little Review* avaient été brûlés, il dit avec humour qu'ayant été brûlé deux fois sur terre, il espérait ne faire qu'un rapide séjour au purgatoire. John S. Sumner, secrétaire de la Société pour la prévention du vice, déposa une plainte officielle, et Margaret Anderson et sa collègue furent citées à comparaître devant le tribunal de Greenwich Village où siégeaient trois juges et dont la salle était remplie de curieux. John Quinn, qui s'était pris d'amitié pour Joyce, se fit leur défenseur, mais son irritation contre les deux directrices était telle qu'il souhaitait secrètement voir leur revue finir au pilon. Joyce ne semble pas s'être préoccupé outre mesure du sort de ses fidèles soutiens et il se mit à espérer même que ce cas fasse autant de bruit que celui de *Madame Bovary* 60 ans plus tôt. Il avait toujours su que l'épisode de *Nausicaa* serait une source d'ennuis. Il l'avait écrit, expliqua-t-il à Frank Budgen, « dans un style nougat confiture marmelade culotté *(alto là !)* avec des effets d'encens, mariolâtrie, masturbation, ragoût de coques, palette de peintre, papotages, circonlocutions, etc. ».

Il demanda à sa pieuse tante Joséphine de lui envoyer des romans à l'eau de rose et des recueils de cantiques à bon marché pour l'aider dans ses recherches et mieux comprendre le caractère fleur bleue de Gertie MacDowell la dévoyée. Tante Joséphine était loin de savoir à quoi elle participait. Comme chaque épisode, *Nausicaa* se vit associer un organe, un art, un symbole et une technique. Le symbole est celui de la Vierge, l'action se passant à proximité de l'église Sainte-Marie-Étoile-de-la-Mer, où se déroule une retraite. La technique est celle de la « tumescence, détumescence », gonflement et flaccidité de l'organe mâle.

C'est le chapitre le plus séduisant d'*Ulysse*. Gertie et ses deux amies, Edy et Cissy, se sont rendues sur la côte pour se détendre et s'entretenir de choses qui intéressent le sexe féminin. Cissy s'occupe de ses jumeaux braillards et Edy de son bébé baveux qu'elle berce dans une petite voiture, ce qui contrarie les aspirations romantiques de Gertie. Les louanges à la Vierge Marie qui s'échappent de l'église — Tour d'ivoire, Maison d'or — interrompent les pensées érotiques de Gertie tandis que sa « fleur féminine » appelle le spectre de la « fleur masculine » chez un gentleman qui passe non loin de là. Leopold est entré en scène ; il « la fascine comme un serpent fascine sa proie » et lui fait prendre rapidement conscience qu'elle « vient d'éveiller le démon en lui ». Les éléments perturbateurs — litanies, enfants bruyants, jeux de ballon — agacent Gertie, qui ne demandait qu'un peu d'air marin pour chasser son cafard. Elle désirait pourtant autre chose. C'est une fille coquette, qui prend des capsules de fer et enduit ses mains de jus de citron et de la «reine des crèmes» pour les rendre plus blanches. Elle s'est coupé les cheveux le matin même parce que c'est la nouvelle lune et qu'elle est, avec ses moyens limités, l'esclave fidèle de «Sa Majesté la Mode». Elle porte une blouse bleu électrique qu'elle a teinte elle-même avec des boules colorantes, un tampon d'ouate imbibé de son parfum favori dans une pochette, et des dessous à ruban qu'elle a lavés et passés au bleu. Et elle est tenaillée par le désir de cette chose que l'on appelle le «pur amour». Les attentions du gentleman la rendent d'humeur poétique; elle s'imagine se nourrissant de violettes ou de roses, et se voit épouse et femme d'intérieur, allumant le feu et confectionnant des crêpes.

Elle qui rougit à la moindre grossièreté — modèle de la jeunesse catholique — cède bientôt aux regards du mystérieux étranger. Lorsque les enfants envoient le ballon le long des rochers couverts d'algues, il est suffisamment galant pour le renvoyer, mais vise les sveltes mollets de Gertie. De sous le rebord de son chapeau de paille tête de nègre, elle le dévisage, lui trouve une expression lasse mais passionnée et, tandis qu'un nuage d'encens s'échappe par les fenêtres ouvertes de l'église, la psalmodie de la rose mystique perd de son mysticisme à chaque regard dévorant.

Parce qu'il est vêtu de noir, Gertie en conclut qu'il est en deuil et pleure son épouse morte ou récemment internée dans un asile d'aliénés. Cissy, pressée de faire connaissance avec l'étrange bonhomme, va sur ses jambes de gallinacé lui demander l'heure. Sa montre est arrêtée (pour l'auteur, c'est le moyen de nous rappeler que Leopold Bloom tente de repousser l'idée du moment où sa femme fera entrer son amant au 7 Eccles Street) et il aborde la distinguée Gertie.

À quelle distance Bloom et Gertie se trouvent-ils l'un de l'autre, nous ne le savons pas. Tout est dans l'imagination et dans le vocabulaire. On en arrive à la consommation de l'acte par une série d'artifices, Gertie balançant ses jambes et sentant la chaleur de sa propre peau contre son corset alors qu'elle contemple le feu d'artifice d'une kermesse proche ; quand des chandelles romaines s'élèvent dans le ciel, elle se renverse en arrière, laissant voir ses culottes de batiste, et son visage se couvre d'une divine rougeur ; les amants secrets atteignent l'extase. Tremblant de tous ses membres, elle aurait voulu pousser vers Bloom un gémissement étouffé, le prendre dans ses bras blancs comme neige, mais elle n'ose pas. Lui n'est pas aussi éthéré : « Monté comme une fusée, retombé comme une baguette ».

« Brute épuisée », il lui demande muettement pardon et lui fait comprendre qu'elle ne doit rien avouer, non, mille fois non. Ce sera leur secret. Tandis qu'elle s'éloigne, il remarque son boitillement et a un peu pitié d'elle. Il se demande si son excitation n'était pas intensifiée par l'approche de ses règles et essaie d'estimer le nombre de femmes à Dublin qui les ont ce même soir. Ses pensées filent ensuite sur le nombre de vierges folles de la ville et sur les nonnes enfermées dans les divers couvents que leurs désirs non assouvis égarent et qui se montrent les dents. Bloom lisse sa chemise mouillée, sent sa peau froide et moite et se demande ce qu'ils se seraient dit s'ils avaient parlé. Il valait mieux qu'ils ne l'aient pas fait. Cela lui rappelle les cochonneries qu'il a fait dire à une prostituée un soir dans Meath Street. Il est à la fois euphorique et déballonné. En partant, il se demande si elle reviendra le lendemain, s'ils reviendront tous les deux, comme des criminels. Tout en marchant, il griffe le sable épais avec un bâton et lui écrit un message, mais sait qu'un clochard l'aura piétiné avant l'aube. Passion fugitive déjà balayée. Il jette le bâton, sa plume de bois, dans le « sable sassé ».

John Quinn produisit devant la cour de Greenwich Village trois mandarins de la culture : un directeur littéraire, un membre de la Guilde du théâtre et l'écrivain John Cowper Powys, qui témoigna de la beauté d'*Ulysse*, un ouvrage ne pouvant en aucun cas selon lui corrompre l'esprit des jeunes filles. M. Moeller, membre de la Guilde du théâtre, essaya imprudemment de comparer l'importance de l'œuvre à celle, novatrice, de Sigmund Freud. Lorsque vint le moment de lire les extraits choisis par Sumner, l'un des magistrats demanda que l'on fasse sortir Margaret Anderson, afin de ne pas blesser sa pudeur. Il semblait avoir oublié qu'elle avait publié le texte ou il supposait que, comme pour l'imprimeur serbe qu'elle avait employé, c'était pour elle de l'hébreu. Les deux autres juges trouvèrent les passages si incompréhensibles qu'ils demandèrent une semaine pour reprendre leurs esprits et lire l'épisode en entier. Lorsque le procès reprit, les choses se gâtèrent. John Quinn soutint que Gertie n'exhibait pas ses dessous de façon plus choquante que les mannequins de la 5ᵉ Avenue. Ces arguments mirent le procureur dans un état apoplectique ; Quinn contre-attaqua en disant que le pauvre homme était la preuve même qu'*Ulysse* ne corrompait point ni ne remplissait les gens de pensées lascives, mais que tout au contraire il les rendait furieux. Bien que les magistrats se soient amusés de cette ruse, ils n'en condamnèrent pas moins les éditrices à 50 dollars d'amende chacune, avec interdiction de publier aucun autre épisode d'*Ulysse*.

Pour Joyce, l'assassinat de *Dublinois* se répétait. Les divers éditeurs new-yorkais qui s'étaient dit intéressés par le livre se rétractèrent de peur d'un procès, ce qui lui fit s'exclamer d'un ton désespéré : « Mon livre ne paraîtra jamais. »

CHAPITRE 16

Miss Beach

Pour son art, Joyce obtenait toujours ce qu'il voulait. Dans l'ombre se tenait Sylvia Beach, une brillante jeune femme aux allures d'oiseau, qui venait de Baltimore et s'était fait une place dans le Paris bohème grâce à sa librairie, Shakespeare & Company. Sa boutique faisait office de salon, de bureau de poste, de bibliothèque de prêt et, à l'occasion, de banque pour un groupe d'écrivains américains, mais c'est Joyce qu'elle convoitait pour sa galerie littéraire.

Le conte de fées a été raconté bien des fois; elle le rencontra chez des amis un après-midi, il se tenait dans une attitude distante, vêtu d'une vieille veste et de ses éternelles tennis blanches. Elle l'aborda par ces mots : «Est-ce là le grand James Joyce?» «James Joyce», répondit-il. À cause de sa vue, il dut se placer à la lumière d'une fenêtre pour lire la carte qu'elle venait de lui remettre. Fidèle à sa nature superstitieuse, il se réjouit d'y lire le nom de « Shakespeare », voyant là un signe favorable. Un an plus tard, elle lui fit une proposition longuement mûrie : lui accorderait-il l'honneur de publier *Ulysse* ? Joyce resta incrédule. Malgré sa notoriété croissante, il vivait dans un vieil appartement dénué de tout confort (sans électricité ni baignoire), et voilà que cette femme lui assurait pouvoir trouver suffisamment de souscripteurs — importants de surcroît — pour permettre la venue au monde d'*Ulysse*. Elle avait déjà choisi l'imprimeur, un intellectuel de Dijon du nom de Maurice Darantière, qu'elle avait connu par son amie Adrienne Monnier, libraire comme elle. Elle proposait un tirage de 1000 exemplaires, dont 100 signés sur papier de Hollande, 150 sur papier de luxe et les 750 autres sur papier de lin. Elle donnerait à l'auteur 66 p. 100 des bénéfices nets.

Ne sachant à qui ils avaient affaire, ni Sylvia Beach ni Darantière ne pouvaient imaginer les difficultés qui les attendaient. Joyce ne possédait d'*Ulysse* qu'un exemplaire, une copie carbone sur laquelle ne figurait aucune des modifications qu'il avait apportées au texte depuis sa publication épisodique. Il s'attela alors à reporter de mémoire ces changements ; ce fut une entreprise vertigineuse, le nombre d'ajouts et de modifications étant tel que le livre s'en trouva augmenté d'un tiers. En outre, son écriture serrée et en pattes de mouche rendait ses corrections presque illisibles. Il se montrait inflexible dans ses exigences en matière de papier, de reliure et de caractères. Les dactylos qu'on lui procurait de peine et de misère pour collaborer à ce tourbillon de travail et de révision ne faisaient pas long feu. Joyce était dans un état d'« énergique prostration », ses assistantes aussi. Certaines étaient d'ailleurs tellement choquées par le texte qu'elles renonçaient d'elles-mêmes. Le mari anglais d'une Mrs. Harrison fut si scandalisé par les pages qui lui tombèrent sous les yeux qu'il les jeta au feu. Cette courageuse croisée — Véronique de Joyce-Jésus — les sauva des flammes, mais, certaines étant partiellement détruites, il fallut en demander copie à John Quinn, à New York. Partout où Joyce allait, c'était le chaos. Il continuait à écrire à ses amis afin d'obtenir des détails pour ses descriptions de marins ou afin de pouvoir terminer le dernier chapitre, dont il disait que c'était « sa plus secrète conception ».

Il insista pour avoir cinq jeux d'épreuves, apportait constamment des changements et surchargeait tellement les pages d'astérisques et de renvois que l'imprimeur assiégé menaça de se retirer, arguant que ces amas cosmiques, physiques et psychiques le rendaient fou ! Sylvia Beach n'en conserva pas moins toujours son bel optimisme. Le drapeau grec flottait à l'extérieur de son magasin, prévenant les passants de l'approche du grand événement.

C'était son heure de gloire : voilà que le livre le plus célèbre
— avant d'être lu — allait être publié par ses soins et exposé dans sa librairie. Une conférence fut organisée dans la
librairie d'Adrienne Monnier — la Maison des Amis des
Livres, au 7, rue de l'Odéon — au cours de laquelle l'écrivain français Valery Larbaud parla de la technique révolu-
tionnaire de Joyce, le monologue intérieur.

Joyce souhaitait que la couverture du livre fût du même
bleu cobalt que le drapeau grec ; pour trouver le papier qui
permettrait de reproduire exactement ce bleu, Darantière
dut se rendre en Allemagne et en Hollande, puis soumettre
les échantillons à l'auteur, qui déclara finalement que les
lettres blanches sur fond bleu ne produisaient pas l'effet
magique des îles blanches parsemées sur la mer.

Pendant ce temps, Sylvia Beach rassemblait des souscripteurs. Parmi eux se trouvaient Hemingway, Winston
Churchill, André Gide, un évêque anglican, plusieurs
intellectuels français, mais pas George Bernard Shaw.
Celui-ci refusa l'invitation d'achat : selon lui, *Ulysse* offrait une peinture répugnante et véridique de l'Irlande et
l'on devrait obliger tous les hommes d'Irlande à le lire,
mais toutefois le prix en était exorbitant. Ne résistant pas
à la critique, il ajouta que l'ouvrage pouvait peut-être
passer pour de l'art aux yeux d'une jeune barbare, mais
que ce n'était en réalité qu'une tranche hideusement
réelle de la vie dublinoise.

Joyce travaillait jour et nuit, et refusait de se laisser harceler par son imprimeur, lequel avait la sensation croissante que la folie de cet Irlandais était en passe de pénétrer dans le sanctuaire patricien de sa maison dijonnaise. Au moment où il rédigeait *Pénélope*, le dernier épisode (les autres parties du livre étaient tant bien que mal en cours d'impression), Joyce fit appel à sa tante Josephine pour préciser certains aspects du Dublin d'autrefois, la priant de lui fournir divers détails géographiques et de noter tous ses souvenirs croustillants sur un certain major qui lui servait de modèle pour le personnage du père de Molly Bloom.

Toujours par superstition, il demanda que le livre paraisse le jour de son quarantième anniversaire, et Darantière se débrouilla pour en remettre deux exemplaires au conducteur de l'express Dijon-Paris. Sylvia Beach les récupéra à l'arrivée du train, à sept heures du matin, et se rendit directement chez Joyce pour lui montrer son enfant. Joyce en garda un exemplaire pour lui-même, que Nora, avec sa rouerie habituelle, entreprit sur l'heure de vendre à Arthur Power, un Dublinois de passage. Le second exemplaire fut exposé dans la vitrine de la librairie de Sylvia Beach et les gens défilèrent pour le voir comme on fait d'une relique. Ce soir-là, dans un restaurant italien, Joyce céda aux supplices de ses invités et accepta enfin d'ouvrir le paquet contenant le livre. Deux serveurs qui ne savaient

pas de quoi il s'agissait déclarèrent que c'était « un poème »
et le portèrent solennellement à leur patron pour qu'il
donne sa bénédiction !

Ulysse était né, au prix de souffrances plus grandes encore que celles qu'endure Mina Purefoy en mettant au
monde sa « petite brute » dans Les Bœufs du soleil.

CHAPITRE 17

Gloire

Joyce se rendait tous les jours à la librairie de Sylvia Beach pour connaître le nom des nouveaux souscripteurs, en caresser la liste, empaqueter les livres à expédier ou proposer des stratégies publicitaires souvent farfelues. Il était susceptible et prompt à voir de mauvais présages partout. Il s'évanouissait s'il croisait un rat sur son chemin. Comme Sylvia Beach le dira plus tard, sa boutique était entièrement au service de James Joyce et de son livre. Arthur Power raconta que Sylvia Beach se serait fait crucifier pour Joyce à condition que ce fût en public ! En Angleterre, Miss Weaver était, quant à elle, submergée de requêtes. Elle devait envoyer des exemplaires du livre à tel et tel critique littéraire, à des personnes influentes, à une bibliothèque d'Édimbourg, à la Bodleian Library d'Oxford ainsi qu'au British Museum. Les critiques et recensions se faisant attendre, Joyce soupçonna un boycott. Comme on pouvait le prévoir, *Ulysse* fut accueilli par des salves d'éloges et d'injures.

Joyce remercia Middleton Murry, qui voyait dans ce livre admirable les épanchements d'un homme de génie à demi dément ; il écrivit aussi à Arnold Bennett, pour qui le chapitre de *Pénélope* était un chef-d'œuvre. Il demanda à Miss Weaver de suggérer à T. S. Eliot d'en faire la critique dans le *Times Literary Supplement*. Enfin il se livra à toutes les manœuvres inélégantes auxquelles un écrivain recourt une fois le travail achevé. Ce qui pourrait paraître déshonorant n'est en fin de compte que soumission aux exigences de la réalité. Lorsque Joyce apprit que Shane Leslie avait dit « qu'*Ulysse* devait encore trouver sa place dans la pensée et dans l'histoire des hommes », il pria Miss Weaver de faire circuler la citation.

La réaction de ses proches le blessa profondément. Il avait beau avoir dit en passant que c'était un « livre assommant » et même avoir admis que l'achat d'un kilo de côtelettes était une dépense plus avisée, la moindre trace de réprobation le faisait enrager. Sa tante Josephine, qu'il avait si souvent mise à contribution pour ses recherches, ressentit le même dégoût que les parents Samsa quand ils découvrent leur fils transformé en un insecte repoussant dans *La Métamorphose* de Kafka. Elle rangea le livre dans un placard, puis, estimant qu'il était sacrilège de le garder chez elle, elle s'en débarrassa en le prêtant. Joyce lui fit des reproches en termes grandiloquents. Ne se rendait-elle pas compte que le livre vaudrait cent guinées dans quelques années? Lorsque sa fille Kathleen dit à Joyce, longtemps après, que sa mère pensait qu'*Ulysse* n'était pas fait pour être lu, il lui répliqua avec amertume que, si *Ulysse* n'était pas fait pour être lu, la vie n'était pas faite pour être vécue. Le père de Joyce en lut quelques passages et déclara que son fils était une « sympathique fripouille ». Mais c'est l'indifférence de Nora qui le blessa le plus. Elle ne dépassa pas la vingt-septième page, page de titre incluse, comme le fit remarquer Joyce. Bien qu'il lui eût remis un exemplaire de la nouvelle édition, qui comportait un moins grand nombre de coquilles et une liste d'errata, rien n'y fit. Pour ce que l'on en sait, Nora ne lisait que des romans de quai de gare et des extraits de Sacher-Masoch que Joyce lui avait donnés à l'époque de leurs débordements sexuels. Des années plus tard, alors qu'elle s'était rendue à Galway avec ses enfants, plus déterminée que jamais à quitter Joyce, il lui écrivit une lettre tendre et pleine de remords, l'appelant sa chère reine et la suppliant de lire « le terrible livre qui lui avait brisé le cœur ». S'il avait brisé le cœur de Joyce, il en avait probablement brisé d'autres aussi. Le docteur Joseph Collins, un Américain qui avait rencontré Joyce par l'entremise d'amis communs, déclara qu'il avait dans ses dossiers des textes d'aliénés mentaux qui étaient tout aussi bons, et il entreprit de lui prouver scientifiquement que son cerveau se détériorait.

Stanislaus fit montre d'une admiration plutôt tiède, réaction peu surprenante de la part d'un frère qui digérait mal que le sort ait conféré tant de génie à James. Ses attaques étaient mesquines et malencontreuses : le livre « manquait de chaleur et de sérénité » — autant demander à une tornade de faire office de bouillotte. Quant au « monologue intérieur », Stanislaus en revendiqua la paternité : « Mon idée fixe, soit dit en passant, vieux ». Comme bien d'autres, l'épisode de *Pénélope* le rebutait. Rebecca West critiqua la « sentimentalité camouflée » de Joyce ; pour Virginia Woolf, c'était le livre d'un « malappris », l'œuvre d'un « étudiant peu soigné qui gratte ses boutons ». T. S. Eliot, tout en admirant *Ulysse*, se sentit menacé par son audace et conclut qu'il aurait mieux valu pour lui ne l'avoir jamais lu. Était-il pensable de jamais surpasser cet exploit ? Dans *Les Bœufs du soleil*, la fécondité du coït trouvait son écho dans la multiplicité des styles, ceux de Milton, Sir Thomas Browne, Richard Burton, Bunyan, Steele, Addison, Landor, Pater et le cardinal Newman, qui bientôt dégénèrent en sabir d'anglais, petit nègre, cockney, irlandais et argot de Bowery. En privé cependant, Eliot déclara que le livre ne dévoilait rien de nouveau sur la nature humaine, qu'il était un éblouissement de style et non une marée de conscience. Quant à son compatriote George Moore, il opina que l'œuvre semblait issue des « docks de Dublin » et qualifia son auteur de « Zola monté en graine ». Yeats, reconnaissant son génie, écrivit à Joyce pour l'assurer qu'il avait de nombreux admirateurs à Dublin.

Depuis son avant-poste fortifié et sans nul doute triomphant, Joyce dit qu'il importait peu que sa technique eût ou non de la « véracité » : elle lui avait servi de pont pour faire passer ses 18 épisodes et, maintenant que ses troupes avaient atteint l'autre rive, ses opposants pouvaient bien le faire sauter jusqu'au ciel.

Sa notoriété se répandit même dans les rangs de ceux qui ne l'avaient pas lu. En Irlande, sa famille, qui ressentait vivement la honte d'*Ulysse*, fut stupéfaite de voir la photo de Joyce en couverture du magazine *Time*. Il perdait de vieux amis, mais s'en gagnait de nouveaux.

La gloire est la quintessence de toutes les erreurs qui s'accumulent autour d'un nom, disait Rilke. Des légendes commencèrent à courir sur le compte de Joyce. C'était un misanthrope, un cocaïnomane, un chevalier servant pour duchesses, un propagandiste bolchevique, un espion à la solde de l'Autriche pendant la guerre, *Ulysse* n'étant qu'un code pour les services de renseignements britanniques ; en outre, il se baignait dans la Seine tous les matins, s'entourait de miroirs, portait des gants noirs au lit, etc. Rien sur les 20 000 heures de travail, son arthrite, les dommages oculaires et cérébraux, l'obligation d'utiliser des fusains et des encres de couleur pour pouvoir se relire. Lorsqu'il sortait le soir, il testait sa vue en essayant de compter les lampadaires de la place de la Concorde. Sa logique passablement fantaisiste lui faisait attribuer ses maux d'yeux à une nuit passée à boire chez Pirano il y a bien longtemps, et son arthrite au fait que, cette nuit-là, il était tombé dans le caniveau.

Avec la publication d'*Ulysse* vinrent aussi distractions et instabilité ; sollicitations, flatteries, irritation face aux critiques assassines, mais irritation aussi d'avoir à en solliciter de favorables — du poète Robert McAlmon, par exemple, auquel il tenta de souffler comment rédiger sa critique, mais qui, fatigué de jouer les courtisans, travaillait à son propre succès en rédigeant des mémoires intitulés *Being Geniuses Together*.

Dans ses lettres à Frank Budgen et à d'autres, les remarques obscènes firent place à un ton plus austère. Regrettant certaines confidences épistolaires faites à Budgen, Joyce décida de récupérer le pli compromettant. Il pria donc celui-ci de le lui rapporter à Paris, et l'emmena le soir en virée. Joyce, après s'être assuré que son ami était plus ivre que lui, le raccompagna à un arrêt de bus. Au matin, un messager rapporta le portefeuille de Budgen à son hôtel, allégé de la lettre trop explicite. Leur amitié en fut affectée à jamais.

La célébrité l'avait transformé. Il ne se permettait plus de dire des choses telles qu'il en avait écrites. Lorsqu'un compagnon de beuverie proposa de porter un toast « Au péché », Joyce répondit abruptement : « Je ne bois pas à ça. » Nora et lui n'étant plus les farouches amants d'autrefois, ils furent désormais qualifiés par lui de « Beati Innocenti ». Stanislaus, de passage à Paris, nota qu'il avait trop d'argent, était trop choyé, buvait trop et faisait trop de calembours. Nora veillait maintenant à ce qu'il soit mieux habillé : smoking en velours assorti d'une cravate en soie et, au lieu de sa canne de frêne, une canne gainée de peau de serpent. Les vieux manteaux et les vieilles vestes furent mis au rebut. Les gens qui l'entouraient devaient être à son service et s'adapter à ses humeurs.

Si Joyce se montrait plus impérieux et plus distant, il n'avait cependant rien d'un reclus. Arthur Power disait de lui qu'il fonctionnait mieux dans un lieu bruyant ; il avait besoin d'avoir du monde autour de lui. Contrairement à son contemporain Marcel Proust, Joyce ne cherchait pas à vivre en ermite. En société, échauffé par la boisson, il suivait le conseil de l'écrivain irlandais James Stephens : « Réjouissez-vous et soyez excessivement content. » Il chantait sa chanson favorite : *Oh, the Brown and the Yellow Ale !* Adolescent, il en avait trouvé une version édulcorée dans le *Irish Homestead*, mais il avait découvert ensuite une version plus paillarde où il est question de cocuage et de femme rebelle : un homme accepte de prêter sa femme à un étranger pour une heure et un jour, puis meurt de

honte au récit de sa débauche. Joyce chantait merveilleusement, la voix chargée d'émotion, s'arrêtant sur chaque
note afin d'en faire ressentir le pur caractère irlandais et
toute « la tendresse, la mélancolie et l'amertume ». En
pareille occasion, il perdait sa raideur et sa timidité, mais,
comme le fit remarquer le poète américain Archibald
MacLeish, on sentait affleurer chez lui « quelque chose de
vif et peut-être de dangereux ». Le docteur Borsch, son chirurgien ophtalmologue, le formula différemment : Joyce
« était un homme étrange mais un vrai chef ».

Il n'aurait pu vivre sans mondanités non plus que sans
reconnaissance. L'isolement lui était insupportable. Nombre de grands écrivains se sont retirés de la vie par crainte
de voir s'éteindre le feu de l'inspiration. Pas Joyce. Son exil
intérieur était si complet qu'aucune interruption ne pouvait mettre sa flamme en danger, seul le temps en était
capable. Et celle-ci résisterait assez longtemps pour qu'il
écrive son « livre de la nuit », *Finnegans Wake*, œuvre dans
laquelle les hommes deviennent rivières, buissons, monts,
figures de la mythologie irlandaise, désirs et pulsions, pour
composer une immense fresque d'archétypes. Mots nouveaux, mots fantasmagoriques « nés de son cerveau en
miettes ».

Joseph Conrad faisait remarquer dans une lettre de
condoléances qu'il adressait à une tante : « comme la solitude perd son pouvoir terrifiant une fois apprivoisée ».

Bien que cela sonne juste aux oreilles de la plupart d'entre nous, pour Joyce la solitude aurait été synonyme de folie. Si sa hantise des chiens et du tonnerre n'était un secret pour personne, si même il admettait et niait tout à la fois sa peur de la folie, il taisait la crainte que lui inspirait la solitude. Sa famille était le rempart qui l'en protégeait, et l'alcool remplissait la même fonction. Il avait connu un premier exil en quittant son pays, en connaissait un second en se retranchant du monde et, pour l'endurer, il lui fallait sentir la vie battre autour de lui. Ses visiteurs réglaient leur attitude sur son humeur, souriante ou non. Nora s'asseyait avec les invités, ne leur offrant à boire que lorsque Joyce paraissait, sa quasi-cécité ajoutant à l'atmosphère cérémonieuse tandis qu'il identifiait les voix avant de rejoindre sa place habituelle près de la fenêtre. La première demi-heure était toujours difficile et la conversation si guindée que, même à Miss Weaver venue exprès d'Angleterre l'assurer de son soutien, il s'adressait avec solennité. Ce n'était pas simplement du dédain, mais le besoin d'établir une distance avec les autres. Dublin était son paysage intérieur, et Paris, « cette ville des plus pratiques », le lieu où des gens étaient prêts à le servir et à le soutenir. On raconte que lorsqu'il allait au restaurant, il se trouvait toujours quelqu'un pour se lever et lui faire le plaisir de chanter *It's a Long Way to Tipperary*. Sa vie domestique, quant à elle, faisait plutôt « improvisé ». Un étudiant du docteur Borsch,

appelé d'urgence chez les Joyce, découvrit l'écrivain enve-
loppé dans une couverture et déjeunant assis par terre face
à sa femme ; entre eux gisaient les reliefs d'une poule au
pot et le cadavre d'une bouteille de vin. Ses enfants, qui
avaient alors presque 20 ans, s'étaient vu enrôler au service
de son génie. Joyce, obnubilé par le sort de son livre, ignorait leurs besoins et expédiait Giorgio aux quatre coins de
Paris pour faire le décompte des exemplaires vendus de la
deuxième édition d'*Ulysse*. Plus tard, ce dernier s'essayera
à diverses entreprises, auxquelles il renoncera l'une après
l'autre ; voyant sa vie lui échapper, il dira qu'il aurait mieux
valu être « fils d'un boucher ».

Les écrivains doivent-ils être de pareils monstres pour
créer ? Je le crois. Il est paradoxal que tandis qu'ils luttent
pour mettre en mots la condition humaine, ils s'endurcis-
sent et se coupent des émotions qu'ils dépeignent avec tant
d'éclat. Ils ne peuvent se charger d'aucune responsabilité ni
tolérer aucune interruption ; seule compte la voix intérieure, rythmique, insistante, qui s'efforce de créer un
fragment de beauté et d'austérité. Pour Joyce, les gens
devenaient des ombres ; de même pour d'autres écrivains.
La mère de Flaubert pensait que l'amour de son fils pour
les mots avait endurci son cœur, et tous ceux qui ont
connu Joyce assuraient qu'il manquait de chaleur bien qu'il
pût être plein d'humour. Nora se plaignait d'avoir une vie
difficile, passée à s'occuper d'une enfant caractérielle, à

tenir compagnie jusqu'à des heures indues à des artistes « ennuyeux à mourir ». Les hommes, décréta-t-elle, « ne font qu'être entre vos jambes ».

Joyce avait l'avantage de trouver chez lui un refuge, un monde rassurant où, quand Nora ne préparait pas à dîner, elle s'apprêtait pour sortir et lui disait de retirer « cette affreuse veste de péquenot ». Il avait plus de chance que bien des écrivains de ce siècle, qu'Ossip Mandelstam par exemple, dont l'obsession de la langue allait jusqu'à l'esclavage, et qui m'a souvent rappelé Joyce. Mandelstam, comme nombre de grands poètes russes, finit dans un camp, condamné à mort par sa lumineuse poésie. Les tourments de Joyce furent tout autres. Les tensions commençaient à laisser des traces. Il dut subir un traitement endocrinien pour son arthrite, se faire arracher toutes les dents et porter un dentier. Sa vue se détériora au point qu'il ne lui restait qu'un septième de vision. On lui posa des sangsues, mais il apparut rapidement qu'une opération pour son œil malade était nécessaire.

Les relations se refroidirent avec Sylvia Beach, ironiquement à propos d'*Ulysse*. Elle lui écrivit qu'en acceptant la parution d'une deuxième édition du livre, si semblable à la première, elle courait le risque de se retrouver devant les tribunaux français pour avoir laissé publier une pseudo-édition originale. Des libraires, des éditeurs et des collectionneurs furieux la menaçaient. Cette première fracture dans leurs relations en annonçait une seconde, plus profonde. Joyce continua à profiter de ses talents de secrétaire et de publicitaire et pensait, ainsi que Nora, qu'il pouvait encore emprunter sur sa cassette personnelle les droits d'auteur à venir. Sylvia Beach laissa à Adrienne Monnier, entre-temps devenue son amante, le soin de lui dire ce qu'elle ruminait depuis déjà longtemps : il l'exploitait et la traitait comme « sa bonne à tout faire ». On avait abusé de leur gentillesse, on les avait bousculées. Shakespeare & Co. n'existait que pour le seul bénéfice de James Joyce. Ceux qui croyaient Joyce indifférent à l'argent et au succès se trompaient, comme elle pourrait le leur dire. Fidèle à sa nature dissimulatrice, Joyce refusa d'entrer dans la polémique. Il disait qu'il valait toujours mieux ne pas agir soi-même, cultiver ostensiblement l'indifférence et tirer toutes les ficelles.

« Mon amitié a toujours un but précis », avait-il déclaré, et celle qu'il portait à Sylvia Beach, jugée désormais moins utile, déclinait. Il la remplacerait. Il avait trouvé dans la silencieuse Miss Weaver une amie plus généreuse, plus sereine et plus dévouée. Il alla jusqu'à écrire à Sylvia Beach qu'elle serait sans nul doute heureuse d'apprendre que Miss Weaver lui avait fait « un autre don très important de 12 000 livres » — une façon abrupte de lui signifier son congé.

CHAPITRE 18

Miss Weaver

Miss Weaver, fille de pieux anglicans, avait fait publier *Portrait de l'artiste* en feuilletons dans *The Egoist*, le magazine d'avant-garde qu'elle dirigeait. Elle approcha Joyce avec la timidité d'une Cendrillon. Elle choisit de l'aider anonymement par le truchement d'un cabinet d'avocats, en lui faisant verser une somme mensuelle prélevée sur son capital, lequel n'était pourtant pas inépuisable. Joyce et Nora brûlaient de connaître l'identité de cette marraine de conte de fées, Joyce ayant deviné qu'il s'agissait d'une femme parce que le généreux donateur avait été touché par son «style pénétrant». Lorsque le secret fut révélé, Miss Weaver s'excusa de l'avoir embarrassé. Le spectre des extravagances de Joyce, de ses excès de boisson, de ses besoins d'argent toujours plus grands — dignes d'un Crésus — se dressait déjà, mais lorsqu'elle s'aperçut de ses habitudes dissolues, il était trop tard. Elle était son sauveur et resta sourde aux viles critiques qui prétendaient qu'elle lui avait donné la liberté d'écrire un livre inintelligible. Elle endura la colère de ses avocats, qui lui reprochaient son imprudence, et les ricanements de ses amis qui se gaussaient de son indulgence. Au cours des ans, elle entama son capital, vécut frugalement et eut même peur de devoir vendre son appartement pour pouvoir continuer à lui dispenser ses bienfaits. Dans cette lignée de femmes anglaises qui risquent leur vie et leur réputation pour une « cause », Miss Weaver trouva la sienne en la personne de James Augustine Aloysius Joyce. Qu'elle l'aimât ne fait point de doute, et que cet amour n'ait jamais été entamé est remarquable. Si elle recevait une petite pension d'un parent décédé, elle se précipitait pour la mettre à sa disposition. Lorsque, depuis Paris, il lui confiait ses préoccupations financières, elle traversait la Manche pour lui réitérer son soutien. Qu'elle le vît boire bouteille sur bouteille, distribuer des pourboires royaux et se déplacer en taxi alors qu'elle-même prenait l'autobus ne lui fit jamais perdre ses illusions. Lors d'un séjour à Torquay, James et Nora descendirent à l'hôtel Imperial et, quand Joyce convainquit le patron de faire un prix à sa mécène, il eut la délicieuse sensation d'être son chevalier servant.

On estime que les dons de Miss Weaver à Joyce s'élevèrent à près d'un million de dollars. Elle ne demanda rien en

retour, à la différence de Sylvia Beach, qui voulait une part
de la gloire de Joyce, ou de l'impérieuse Edith McCormick,
qui épousait des bonnes causes dont elle se lassait vite.
Miss Weaver était une vieille fille modeste née pour soulager les maux d'un homme « déçu, battu, vaincu et pulvé-
risé », comme il se décrivait lui-même. Son intention
première avait été de donner à Joyce suffisamment de répit
pour écrire, mais elle fut bientôt mise à contribution pour
ses dépenses personnelles, celles de sa femme, les besoins
de leurs enfants, leurs maladies, ses multiples opérations
aux yeux, les frais d'hôtel — ceux où ils vivaient à Paris et
ceux, plus luxueux, où ils descendaient en villégiature.

Leurs relations étaient essentiellement épistolaires et
leurs rares rencontres restèrent très cérémonieuses — elle
était Miss Weaver et lui Mister Joyce. Elle incarne à merveille l'idéal formulé par Kierkegaard dans *La Pureté du*
cœur, qui exige que travail et sacrifice soient accomplis
pour eux-mêmes et non pour la gloire. C'est à elle que
Joyce se confia le plus par lettres, et leur ton change à
mesure qu'il change lui-même. Ses premières lettres à
Stanislaus l'avaient aidé à définir ses aspirations intellec-
tuelles et politiques ; il y étale son arrogance et s'y décrit
comme un socialiste, ce qui signifiait que l'État devait l'entretenir. Parmi les lettres à Nora, il y en a qui sont enjouées,
de l'époque où il lui faisait la cour, et d'autres torrides, qu'il
lui envoyait depuis la maison paternelle de Fontenoy Street

quand il était encore un jeune homme. Les lettres à Miss
Weaver, quoique très humoristiques, sont empreintes de
gravité et de lassitude ; dans l'une d'elles, il avoue n'avoir
pas lu d'œuvre littéraire depuis des années et que sa tête est
pleine de cailloux et de gravats, d'allumettes brisées et de
débris de verre « ramassés çà et là ». Tout d'abord courtoi-
ses et pleines de gratitude, elles multiplient bientôt les exigences : il voudrait un livre, un disque, des coupures de
presse, il lui demande de harceler tel ou tel éditeur afin
qu'il publie des extraits de son œuvre, il réclame enfin une
admiration sans faille pour son travail. Les besoins de Joyce
étaient aussi bien matériels qu'affectifs.

La conduite de Miss Weaver fut irréprochable. Jamais
elle ne le jugea, ne le repoussa ni n'outrepassa son rôle.
Joyce, un homme sensible aux convenances, et d'autant
plus avec l'âge, pouvait confier à cette femme aux manières
surannées ses tourments et ses déchirements. Tout lui était
révélé : les nouvelles de la famille, la recherche constante de
logements, les œufs au bacon mangés lors d'un voyage en
train, l'achat d'une veste verte à Salzbourg, sans oublier la
pochette en soie et le sombrero qui allaient avec. Puis
c'était son ophtalmologue ou son dentiste, ses iritis, ses
abcès dentaires, sa cataracte et tous les accidents de sa vie
agitée. Avec le temps, ses demandes d'argent se firent plus
pressantes ; il les couchait tantôt en termes voilés, tantôt de
façon explicite. À une occasion, sachant qu'elle allait partir

en vacances, il commença par lui souhaiter un bon séjour, puis se lança dans la description du triste état de ses finances, lesquelles se faisaient engloutir par un aspirateur géant qu'il omettait d'appeler «lui-même». Pourrait-elle faire en sorte que sa mensualité lui soit versée plus tôt? Mieux encore, pourrait-il entamer le capital même? Elle n'eut jamais le cœur de lui dire non. Il clôt sa lettre par une touche d'humour — il suppose qu'elle sera soulagée de ne pas le rencontrer sur un quai de gare avec son bandeau sur l'œil et une liste de requêtes impossibles. Elle était devenue tout à la fois amie, confidente, confesseur et mère indulgente.

Elle recevrait cependant quelque chose en échange. Elle assisterait au merveilleux spectacle de son imagination en marche. Il lui enverrait les clefs de son fabuleux royaume, des indices permettant de comprendre ses distorsions linguistiques. Au début de la rédaction de *Finnegans Wake*, il lui envoyait glossaire après glossaire, tableaux explicatifs et petits rébus pour la régaler. «*Wolkencap*» était une *woolen cap of clouds* (une casquette de nuages en laine), «*dinn*» un mélange oriental de *din* (vacarme) et de *djinn*.

«La vie est une veille... vivez-la ou tordez-lui le cou.» Un matin à Paris, malgré les crises, ses maux d'yeux et sa santé défaillante, Joyce prit un bloc de papier ministre et commença son *Œuvre en cours*, dont il ne révéla le titre à personne sauf à Nora, pour le cas où il mourrait. Ce serait,

bien entendu, *Finnegans Wake* — *Live It or Crick It.*
« *Ulysse* ? Qui a écrit ça ? J'ai oublié », dit-il. Si *Ulysse* était
le livre du jour, *Finnegans Wake* serait le livre de la nuit, un
monde fait de rêves et d'énigmes, de mythes affabulés et
déconstruits, de syllepses et de syllogismes ; un monde
naturel, surnaturel et fabuleux, peuplé de rois et de géants,
où l'on rencontrerait Sir Tristram, « violeur d'amœurs », et
Anna Livia avec ses « cailloux du Rhin » et ses sept servantes « arc-en-ciel ». Il pensait que c'était plus fort que tout ce
qu'il avait écrit jusqu'à maintenant, mais pressentait aussi
que ce livre l'achèverait. Il se sentait déjà devenir un spectre, un être que condamnent à l'impalpabilité la mort, l'absence ou le changement des mœurs.

Il assiégeait la littérature, donnant à ses lecteurs « une
jolie petite attaque de mal au cerveau ». L'art devait avancer
pour révéler des idées et des essences spirituelles informes
et faire oublier le vieux langage. Il fallait briser les mots
pour en tirer la substance ; en libérant la langue de son rôle
servile et méprisable, il ferait « s'exprimer l'eau comme
l'eau, les oiseaux comme les oiseaux ». Ports d'escale incon-
nus. Mots découpés, augmentés, combinés pour obtenir
une signification plus dense. Ainsi, le boudoir où Anna
Livia tresse ses cheveux avec l'aide des sept filles arc-en-ciel
est transformé en « boudelaire », mélange de boue et de
Baudelaire.

Dans les deux premières pages exubérantes qu'il envoya à Miss Weaver, il conte le sort de Roderick O'Conor, dernier roi d'Irlande : « j'ai terrible errible boulot à faire aujour aujourd'hui, eh bien, où alla-t-il et que fit en fait sa Très Exubérante Majesté le Roi Roderick O'Conor ? — sinon, parbleu, d'achever de baisser le store de sa gorge en étanchant le démon de sa merveilleuse soif de minuit... » Le véritable Roderick O'Conor était un gaillard robuste et batailleur qui régnait sur une principauté du rocailleux Connaught et aspirait naturellement à devenir roi de toute l'Irlande. Il eut sa chance lorsque le roi McLochlann creva les yeux d'un otage d'Ulster. Même à cette époque et dans une culture connue pour sa férocité, cet acte cruel fut perçu comme un sacrilège et le roi, abandonné par ses fidèles partisans, fut tué près d'Armagh. Roderick traversa trois provinces pour se faire couronner ; lorsqu'il fut renversé peu de temps après, il prononça ces paroles reprises dans *Shakespeare notre contemporain* de Jan Kott : « le Roi est mort, vive le Roi. »

Joyce envoyait à Miss Weaver les épisodes du livre au fur et à mesure qu'il les écrivait, et, un jour, avec une humilité inhabituelle, il lui proposa de commander un thème qu'il lui livrerait avec la même promptitude qu'un tailleur un costume ou qu'un boulanger une miche de pain. Il avait besoin d'elle, et cela d'autant plus que la parution des épisodes de *Finnegans Wake* avait déclenché la colère de ses amis autant que de ses ennemis, d'après qui ces pages n'étaient que « ragoût, plaisanterie, vaste énigme et défi au sens commun ». Personne n'y comprenait rien. Joyce tentait de faire, éveillé, ce que la plupart des gens font en dormant. Cela l'isolerait complètement.

CHAPITRE 19

« *Finnegans Wake* »

S'IL AVAIT CRÉÉ *ULYSSE* avec « presque rien », *Finnegans Wake* venait de « rien du tout » mais renfermerait des « coups de tonnerre ». Ce livre de la nuit, Joyce le comparait à une montagne où il percerait des tunnels dans deux directions sans savoir ce qu'il trouverait. Il lui fallait encore plus de cartes, d'encyclopédies, de plans de villes, car cette fois son arène était le vaste monde, même si son cher vieux Dublin en restait le centre nerveux. Par la magie des mythes et de la transsubstantiation, géants et mortels s'incarneraient les uns dans les autres pour finalement se métamorphoser en arbres, en nuages ou en rivières. Ces dernières dominent d'ailleurs la narration, il y en a 800 en tout — Mississippi et Missouri, « du suintement à l'égout » — avec en tête la Liffey, « d'erre rive en rêvière, nous recourante via Vico par chaise percée de recirculation vers Howth Castle et Environs ».

Howth était le lieu de sépulture de Finn MacCool, ce héros de la mythologie irlandaise si prodigieusement grand que sa tête reposait à Howth et ses pieds dans Phoenix Park ; Finn MacCool, ancêtre de Bygmester Tim Finnegan, le « très brumeux » porteur de hotte. Howth était également, dans la baie de Dublin, le point le plus vulnérable aux invasions étrangères. Bygmester Joyce devait lui-même bientôt soutenir l'assaut de ses détracteurs autant que de ses partisans, qui lui reprocheraient son « acupuncture verbale ».

Si, des années plus tard, Joseph Campbell dira de *Finnegans Wake* qu'il « fertilise la mère Irlande avec un je ne sais quoi de l'éternel » et si Fred Higginson louera la « prodigalité breughelienne » de Joyce, celui-ci fut en son temps affublé du surnom de « Shem le scribouillard », lequel, disait-on, avait un « don pour le cloaque ». Joyce trouvait normal de qualifier à l'occasion le livre de « détritus flottant » ou de « volubilité de mots en tous sens », mais lorsque d'autres portaient ce type de jugement, sa réaction ne se faisait pas attendre. Son livre lui paraissait à la portée de tous. Le temps, la rivière et la montagne en étaient les vrais héros ; les thèmes étaient classiques : homme et femme, naissance, enfance, nuit, sommeil, mariage, prière, mort. Il affirmait vouloir bâtir une narration à plusieurs plans, mais avec un unique objet esthétique. Néanmoins, entre la simplicité du projet et le résultat final, il y avait « des crilomètres et des crilomètres ».

Il n'avait par moments l'usage que d'un seul œil et prenait de la cocaïne pour soulager ses souffrances. Il travaillait la nuit et riait si fort de ses propres « constructions de mots » que Nora lui demandait d'arrêter d'écrire pour qu'elle puisse dormir un peu. Sa concentration était parfois si grande qu'il perdait connaissance. Entre deux mots, il pouvait en insérer jusqu'à 200 autres et d'une seule page en faire 20 ou 30. Mais ce torrent de langage déroutait.

Oliver Gogarty décrivit l'ouvrage comme le « plus colossal canular littéraire depuis l'*Ossian* de Macpherson », livre dans lequel l'auteur prétend avoir été en communication avec les morts. Gogarty avait attendu presque 30 ans pour prendre sa revanche ; sa rancœur venait de ce que Joyce et lui appartenaient à la même génération d'écrivains, dublinois de surcroît, mais que l'un était un génie et l'autre un simple satiriste. Son article recèle toute l'acrimonie que les hommes de moindre talent réservent aux grands. Selon Gogarty, la santé mentale de Joyce était pour le moins chancelante. Il conclut son épitaphe en disant espérer que l'adulation sans borne que Joyce suscitait chez les dilettantes littéraires parisiens saurait calmer son cœur assoiffé de gloire. Si *Ulysse* avait provoqué la colère des lecteurs, avec *Finnegans Wake*, cette colère connaîtrait de nouveaux sommets.

De quoi s'agit-il en fait ? D'un labyrinthe de mots « discincts et isopluriels », nés de la « tachemur de sa maison en

auberge », un Deutéronome. « Toutes les circonstances ex-
ternes » sont expédiées sans ménagement. Chaque lecteur
doit se jeter audacieusement à l'eau pour interpréter le sens
et, bien sûr, l'humour de chaque terme. « Latin-moi ça, toi
l'écolier de Trinity College », dit l'une des lavandières à
l'autre pendant que l'auteur s'efforce de transcrire « leur
sanskrit en eryende notre Eire ». Si l'Irlande prenait Joyce
pour un apostat, elle se trompait : la musique, la poésie et
le « langage éthyle bariolé des anges » de la terre natale ont
bien leur place dans son œuvre.

Bygmester Finnegan, « vieil estropié », glisse et tombe
alors qu'il travaille un « morcredi jeûtin » sur un « gratteur
de ciel ». M. Finnegan se métamorphose en Humphrey
Chimpden Earwicker ; il tient un bistrot dans Chapelizod,
a une épouse du nom d'Anna Livia, des jumeaux rivaux
appelés Shem et Shaun, et une fille, Isabel, dotée d'une
double personnalité, une Iseult à la recherche de son Tris-
tan. Ce sont Monsieur et Madame Tout-le-Monde, d'une
fragilité trop humaine, qui voient leurs espoirs et leurs
aspirations réduits à néant par la vie ou convertis en de
simples bégaiements.

Anna Livia est le personnage le plus accessible et le plus
attachant qu'ait créé Joyce. C'est une femme vivante, qui se
défait des atours de la jeunesse, puis, l'un après l'autre, de
ceux de la vieillesse pour retourner à sa première demeure,
son « père froid fou et furieux », l'océan qui l'attend. Joyce

disait que c'était là son chapitre « mélodique » ; en effet, il touchait les cœurs et les esprits les plus insensibles. L'écrivain français Valery Larbaud s'extasiait devant ce passage. Il fut publié séparément et, pour encourager les lecteurs, Joyce mit un petit poème humoristique en exergue à la première édition.

> Achetez un livre en papier brun
> De Faber and Faber
> Pour voir Annie Liffey faire des cabrioles...

Dans le livre I, chapitre 5, Anna est décrite par deux lavandières qui bavardent en lavant leur linge dans la rivière, courbées sur leur tâche, trempant et retrempant le linge déchiré qu'on leur a confié pour en extraire péché et saleté. Chacune incite l'autre à parler d'Anna, en lingua franca qui plus est — « Appeler une crue une crue ».

À la fin, Anna demande s'il existe « quelqu'un pour la comprendre », mais, dans sa jeunesse, elle aussi a participé à la danse et au vacarme sauvages. Alors que Molly est tout appétit, Anna est incantatoire. Elle est une apparition de flots bouclés, une enchanteresse fugitive qui se lave avec de l'eau de Gala, souligne « la prunelle de ses yeux quinconces avec du Liffeuille ». Joyce transforma la chevelure d'Anna, peut-être inspirée de celle de Livia Schmitz, en herbes des prés, glaïeuls de rivière, jonc des marais, herbes folles aquatiques et pleurs des saules chagrins. Le lecteur l'accompagne pendant qu'elle tresse ses cheveux. Son amour pour Humperfeldt décline avec le temps. La chambre gagne en solennité. Elle sera reléguée à la seconde place après sa fille Iseult, l'Issy de Chapelizod, que le père-époux convoite comme fille-épouse. La mère « moussue » est bientôt remplacée par sa « coquette menue bouffée agile rusée » de fille.

Edmund Wilson note que, dans *Finnegans Wake*, le mari et la femme s'éveillent d'une nuit de sommeil avec une nouvelle polarisation, le père se rapprochant des enfants alors que l'épouse s'éloigne de son mari débauché, non par rancœur mais par compassion. Anna ferme les yeux pour le voir « enfant près d'un coursier blanc-de-rêve », l'enfant auquel toute mère veut croire. Métamorphosée en rivière, elle doit se frayer un chemin entre les « terribles fourches » de South Wall et de North Wall avant d'être entraînée jusqu'à la mer immense. Ses derniers mots sont une incantation — « Au loin seul amour au long de ». Balayant du revers de la main la gravité de cette rencontre avec la mort, le critique William York Tindall émit l'opinion que le passage relevait du « sentimentalisme le plus pur ».

Joyce avait toujours été convaincu que la fidèle Miss Weaver ne l'abandonnerait pas. Elle était, après tout, entrée dans sa vie par le truchement de l'esprit bienveillant d'Homère, puisque son nom rappelait Pénélope faisant et défaisant son tissage. Il se trompait. Ses « téguments », comme il les appelait, dépassaient Miss Weaver, qui commençait à prendre peur. Elle n'appréciait pas les produits de son usine à calembours ni leur inintelligibilité. « N'aimez-vous pas tout ce que j'écris ? » lui demanda-t-il. Elle aimait son monde aquatique, son univers fantastique. Ce dernier était d'ailleurs abondamment représenté.

Presque aveugle, traçant avec des encres de couleurs différentes des lettres d'un centimètre de hauteur, il se sentait proche de l'« indignation ardente » de Swift. Ezra Pound déclara : « Rien à l'exception d'une vision divine ou d'un nouveau traitement pour la blennorragie ne peut valoir la peine de cette périphérisation circumambiante. »

La solitude de Joyce était totale. Le maillage complexe de sons, de demi-sons et d'images grâce auquel il produisait ses étranges et sublimes constellations de mots paraissait trop radical. Durant la rédaction de *Finnegans Wake*, il se replongea dans le *Book of Kells* pour étudier le détail de ses riches enluminures et parce que cet ouvrage racontait les Évangiles. Lui-même croyait d'ailleurs qu'il écrivait une sorte d'évangile. Il disait avoir tiré l'idée de son livre de la *Scienza nuova* de Giambattista Vico, qui recourt à l'ethnologie et à la mythologie pour découvrir la signification profonde de certains événements importants et mettre au jour les cycles récurrents de l'histoire humaine — « Toujours la même chose par la porte du renouveau ». Mais après les avoir reprises à son compte, il déclara que les

théories de Vico lui avaient simplement servi de « treillage ».
Son cerveau enregistrait tout, « à une feuille transparente
de la folie ».

Les câbles téléphoniques qu'il voyait dans la rue par une
bouche d'égout lui suggéraient des cordons ombilicaux ;
une description des fleurs qui poussaient sur les ruines de
Carthage lui faisait entendre les intonations mélodieuses
des enfants morts. Pour la chevelure d'Anna Livia, Joyce
s'inspira des magnifiques cheveux roux de Livia Schmitz
(épouse de son ami Italo Svevo), mais aussi de la Dartry,
rivière que les rejets des teintureries avoisinantes veinaient
de rouge. Dans un bazar, il vit un jour un Turc avec un
métier à tisser sur les genoux, et les écheveaux rouges,
verts, bleus et jaunes lui firent l'impression d'un arc-en-
ciel. La magie des premiers contes irlandais était son pain
quotidien. Il aurait adoré l'histoire de Barra et du saint : un
jour que Barra était en mer, il croisa un saint qui marchait
sur les flots ; très surpris, il lui demanda comment il faisait.
Le saint répondit : « Ce n'est pas sur la mer que je marche
mais sur une prairie couverte de fleurs », puis il cueillit une
fleur écarlate et la lança à Barra. Le saint lui demanda à son
tour comment son bateau pouvait flotter sur une prairie.
Barra plongea alors sa main profondément dans l'eau et en
sortit un saumon.

Terre et eau, image et contre-image, les vieux chênes
renaissant de leurs cendres et, surtout, Dublin et ses

alentours réinventés en des esquisses époustouflantes. Quand Joyce fit l'honneur à Edgar Quinet, un écrivain qu'il admirait, de reprendre une de ses phrases, il en transposa le décor de l'Illyrie et de Numance aux environs de Dublin.

La fureur augmenta au fur et à mesure de la parution de *Finnegans Wake* en épisodes. Le livre fut qualifié de « sodomie linguistique » ; c'était l'œuvre d'un « esprit naufragé incapable de livrer sa cargaison ».

Douze assistants ou « apôtres » furent sommés d'écrire chacun un article, revu et parfois même dicté par Joyce, pour faire comprendre aux gens l'impossible travail. Parmi eux, Frank Budgen, Samuel Beckett, Stuart Gilbert, Robert McAlmon et d'autres, qui tous dissertaient sur le symbolisme pré-lingual, les influences aquatiques, la géographie riveraine, le caractère « plus conique que sphérique » de l'œuvre, écrite dans un langage « ivre, courbe et effervescent ». Nouvelle et éclatante preuve qu'essayer d'expliquer ou de disséquer une seule ligne de James Joyce est une erreur. Celui-ci détestait les conversations littéraires et disait préférer parler de navets, mais connaissait maintenant la grandiloquence et la fausseté des sensibilités académiques et littéraires. Il avait compris que ces essais susciteraient un immense intérêt. Ce sont des merveilles de pesanteur, d'abstraction, d'opacité et finalement d'ennui.

Il confessait vouloir occuper les critiques pendant 300 ans. Un soir qu'il dînait au Fouquet, il demanda avec une

hésitation enfantine à sa belle-fille Helen de lire à haute
voix deux pages qu'il venait d'écrire (et qui le lendemain
s'allongeraient jusqu'à en faire 10). Les explications de la
théorie de Vico (sur laquelle les «apôtres» avaient indéfiniment glosé) ou le parallèle avec le purgatoire de Dante
paraissaient futiles à côté de l'incroyable émotion que l'on
ressent en entendant : « Monjour, ma ville ! Liffe ! C'est moi
Liffey qui te parle de seule à feuilles. Lff ! Pli à pli toutes les
nuits sont tombées se noirant à ma chevelure. Pas un bruit,
chute. Écoute ! Ni souffle ni mot. Qu'une feuille, rien
qu'une feuille et puis s'en va. Les arbres sont caressants
tout au long, comme si nous étions des enfants dans leur
sein. Il y a aussi des rouges-gorges qui croassent. C'est pour
ma noce d'or. À moins que ? Envolés ! Lève-toi mon homme
des bruyères tu as dormi si longtemps ! »

Paul Léon raconte que Joyce écouta le fragment avec un
intense et évident plaisir et dit ensuite qu'après tout il
n'aurait peut-être pas à chercher un travail de chanteur des
rues. Son désespoir lorsqu'il écrivait *Finnegans Wake* était
parfois si profond qu'il envisagea de demander à James
Stephens de terminer le livre et s'interrogea même sur l'op-
portunité de prendre un poste de professeur à Cape Town.
Les variations de son humeur, le fait qu'il passait si facilement de l'arrogance à l'ingénuité, expliquent sans doute
que tant de gens se mettaient à son service et que Samuel
Beckett ait pu dire après sa mort : « C'était un être humain

digne d'amour.» Beckett et Joyce s'étaient éloignés avec le temps. Au début, l'adoration de Beckett pour le maître était telle qu'il portait des chaussures de la même pointure (et trop petites pour lui!), fumait les mêmes cigarettes et se prélassait sur les fauteuils de la même manière; mais lorsque son rôle de secrétaire bénévole devint trop accaparant, il prit ses distances. Joyce mit tous ses amis, et particulièrement ceux qui lui servaient de coursiers, dans ses livres; de Beckett, il fit un panégyrique équivoque: «Sam sait mille fois mieux que moi comment accomplir ce miracle. Et je vois en lisant son journal qu'il a laissé tomber le bredouillis de sa vessie réduite au silence depuis que je l'attachais plus en ami qu'en frère.»

Dans *L'Œuvre en cours*, il casa tout: la «stylistique des poings» des boxeurs, les silencieuses «O'Moyle Waters», «Christy Colomba», Brendan le Navigateur, Bruno, etc. Le critique anglais Desmond McCarthy affirma que Joyce voulait écrire «comme un fou pour les fous». Il cherchait en réalité à abattre les barrières entre le conscient et l'inconscient, à faire éveillé ce que les autres font en dormant. Il savait que la folie était le secret du génie. Hamlet était fou, et sa folie engendrait le drame. Les personnages des tragédies grecques étaient fous, tout comme l'étaient Gogol et Van Gogh. Il préférait parler d'«exaltation», celle-ci rejoignant aisément la folie. Tous les grands hommes la portaient en eux. L'homme raisonnable ne pouvait arriver à rien.

Dans un rare moment de candeur, il écrivit à Miss Weaver : « Peut-être survivrai-je, peut-être la folie furieuse que je transcris survivra-t-elle et c'est peut-être là l'aspect comique de la chose. » Derrière ses doutes et son désespoir à peine voilé se cachait l'espoir improbable que l'« étincelle de folie » qui s'était allumée dans le cerveau de Lucia « s'éteindrait ».

« Lorsque je quitterai cette sombre nuit, elle sera guérie. » Ce fut sa seule idée consolatrice durant les 17 années de labeur qu'exigea sa « cruelfiction ». Comme toujours pour lui, il y avait une corrélation secrète et magique entre la vie et le travail. En faisant se noyer Vincent Cosgrave dans *Ulysse*, Joyce croyait avoir précipité la mort de celui-ci. De la même manière occulte, il espérait sauver Lucia du gouffre.

CHAPITRE 20

Amis et parents

À QUARANTE-NEUF ANS, Joyce toucha le fond du désespoir. Trois drames irrémédiables le frappèrent : la mort de son père, l'indifférence du monde à l'égard de *Finnegans Wake* et la détérioration de la santé mentale de sa fille Lucia.

Quand John Joyce, âgé de 82 ans, mourut quelques jours après Noël 1931, James sombra dans un état mélancolique proche de celui du Roi Lear, plein de regrets pour ses 10 ans de négligence et ses occasionnels accès de cruauté. Avec un accablant sentiment de culpabilité, il se remémorait les dons de son père, son veuvage solitaire, et ces mots que John lui-même avait utilisés pour se décrire : «Rejeté dans ce monde misérable et cruel sans un parent pour me nourrir ou m'abriter». Dans les jours précédant le décès, Joyce avait envoyé lettre sur lettre, télégramme sur télégramme, téléphoné à l'hôpital tous les soirs et importuné son ami Curran pour qu'il rende visite à son père et le tienne au courant. À l'annonce de sa mort, il s'effondra, se reprochant de ne pas lui avoir procuré les meilleurs spécialistes.

Sur son lit de mort, John, qui délirait depuis quelques jours, reprit ses esprits pour prononcer ces derniers mots : « Dites à Jim qu'il est né à six heures du matin. » Fidèle à sa promesse, il léguait tous ses biens à son fils préféré, mais pas ce que Joyce avait toujours si ardemment souhaité : des louanges sur son œuvre. Sa famille comme ses compatriotes l'en avaient privé, confirmant ainsi la maxime de Yeats :

> D'Irlande nous sommes partis,
> Grande haine, petit espace,
> Nous avaient mutilés.

Au fil des années, John Joyce avait envoyé à son fils des lettres au ton plaintif, jurant que chacune d'elles serait la dernière, ce qui n'était évidemment jamais le cas. Ce n'était qu'abattement, pauvreté, abandon, mépris, rejet, railleries et haine. Le seul qui pouvait l'aider était Jim et, après la publication d'*Ulysse*, quand son nom fut mondialement connu, John crut avoir droit à une part du gâteau. La réponse arriva, amèrement décevante, et elle étonne de la part d'un homme qui devait s'accuser le restant de ses jours de ne pas avoir secouru son père quand il était dans le désarroi. Son refus était catégorique. Il recevait bien une mensualité d'une dame anglaise, expliqua-t-il, mais la somme était presque entièrement engloutie dans le loyer, les honoraires des médecins et les gages de la femme de ménage. Il omit de mentionner leurs extravagances, le penchant de Nora pour les vêtements luxueux et leurs dîners presque quotidiens dans les grands restaurants parisiens, que Hemingway avouait regrettablement au-dessus de ses moyens. Pour convaincre son père de sa pauvreté, il alla jusqu'à dire qu'il faisait lui-même les lits le matin et rechargeait la cuisinière en charbon, ajoutant pour faire bonne mesure que leur appartement était si sombre qu'il y retrouvait difficilement ses vêtements.

Dix ans plus tard, néanmoins, ce maître dans l'art du refus tomba dans un désespoir infantile. Il se confia à ses amis, évoquant dans une lettre au marmoréen T. S. Eliot l'intense amour que son père lui portait. Ses remords de n'être jamais retourné en Irlande le hantaient ; il fit allusion à l'« instinct » qui l'en avait retenu. Sa résistance vis-à-vis de son pays allait au-delà de la peur et relevait de la pathologie. Non seulement il la fondait sur la réception hostile faite à son œuvre, sur la félonie de ses amis et la pusillanimité de ses éditeurs, mais aussi il la justifiait par le fait qu'il serait lynché par les siens tout comme l'avait été Parnell, son héros. Il ne manquait jamais de rappeler le drame vécu par Nora et les enfants, qui, se rendant un jour de 1922 à

Galway par le train, avaient dû s'étendre à même le sol pour éviter les balles qu'échangeaient républicains et soldats de l'État libre. Bien que l'Europe entière ait été à feu et à sang, pour Joyce l'Irlande était le seul vrai champ de bataille.

Joyce n'avait communiqué que sporadiquement avec son père. Lorsque des amis se rendaient à Dublin, il leur demandait de porter une bouteille de whisky Jameson au pauvre homme. Il en avait fait faire un portrait qu'il conservait pieusement dans son bureau avec sa veste de chasse brodée et le blason des Joyce. John avait une fois proposé de lui rendre visite, précisant que, bien entendu, il assumerait les frais du voyage et de l'hébergement. Cette visite n'eut jamais lieu.

Durant ces jours sombres, Joyce n'était plus l'écrivain mondialement connu et hautain, l'auteur révéré, mais un fils « remerciant du fond du cœur » son ami Curran d'être allé voir son père à l'hôpital de Drumcondra. À Miss Weaver, il avoua son état de prostration mentale, écrivant qu'il songeait à abandonner *Finnegans Wake*, à laisser les pages « inachevées avec des blancs ». Sa relation avec son père resterait à jamais incomplète, tout comme resterait incomplète la relation de son « sauvage livre de la nuit » avec le monde. Il décrivait aussi l'esprit caustique de son père, son humour particulier lorsqu'il avait bu, ses petites folies, sa perspicacité, son inépuisable répertoire d'histoires, et il prétendait que son génie lui avait inspiré des centaines de pages et quantité de personnages d'*Ulysse*.

En souvenir de leur amour commun pour Parnell, il envoya pour son enterrement une couronne de lierre portant l'inscription : « Avec douleur et affection, Jim », comme si à eux seuls ils constituaient le noyau familial. Miss Weaver, mère, grand-mère et bonne fée du clan Joyce, fut contactée par Padraic Colum pour contribuer aux funérailles, ce qu'elle fit évidemment.

Les 665 livres et 9 shillings que James devaient hériter de son père furent absorbés par les dettes et les frais d'hôpitaux. Peu lui importait. Son père lui avait prouvé son amour et, en expiation, il reconnut l'existence d'un lien quasi symbiotique entre eux ; la voix de son père avait pénétré sa gorge et il soupirerait désormais comme lui. Il croyait même que le mort tentait de lui parler et il se mit à songer plus que jamais à l'au-delà.

« Père, si je m'attache un jour à quelqu'un, je te jure sur la tête de Jésus que ce ne sera pas parce que je ne t'aime pas. Ne l'oublie jamais. » Voilà comment lui écrivait Lucia, pour laquelle il était le phare et la bouée.

Longtemps auparavant, quand la famille vivait en Suisse, Joyce avait eu peur qu'une maladie ne se soit abattue sur ses enfants. Il n'avait jamais précisé quelle maladie, mais il faut dire qu'entre sa passion torride pour Nora et son travail qui l'accaparait, les enfants avaient été quelque peu négligés. À l'adolescence, Lucia fut aimée de son père sans réserve, elle devint son «inspiratrice», et son aliénation mentale parut simplement à ce dernier l'expression d'un génie égaré.

Son enfance, comme celle de son frère, avait été agitée — fréquents changements d'écoles et de précepteurs, contact avec plusieurs langues, manque perpétuel d'argent entrecoupé d'accès d'extravagances. Lucia ressemblait à sa mère et avait hérité d'elle, outre son léger strabisme, un caractère difficile. Jeune, elle se plaignait que son frère et elle se retrouvaient enfermés comme «des cochons dans une porcherie», lorsque leurs parents allaient au restaurant ou à l'opéra. Giorgio était son allié et, quand plus tard il se fiança à une riche héritière américaine du nom d'Helen Fleischman, Lucia ne ménagea pas ses paroles, disant de sa rivale que c'était elle le «gigolo».

Joyce croyait fermement que son génie avait jeté une ombre sur le psychisme de Lucia, et peut-être était-ce vrai. Mais sa culpabilité avait quelque chose de plus obscur et de plus incriminant, comme si la maladie de sa fille était la conséquence non pas de son génie à lui, mais des dissipations de sa jeunesse — les péchés du père. Samuel Beckett, lorsqu'il la rencontra, crut voir en la fille la réplique de l'esprit exubérant du père; elle lui faisait penser à un serpent hypnotisé, coupée de son entourage, pleine d'un désir de créer. Elle manifestait de l'hostilité envers sa mère, criait contre elle et déclara même un jour être privée d'homme, en d'autres termes, privée de Joyce. C'était une jeune fille élancée, aux cheveux foncés et aux yeux bleus brillants, si nerveuse qu'elle passait sans cesse du coq à l'âne. Beckett, qui s'était tout d'abord senti attiré par sa vivacité, fut rapidement alarmé par l'attachement croissant dont elle faisait preuve à son égard. Il affirma que personne d'autre que lui n'avait vu venir sa démence, surtout pas son père dont l'aveuglement était complet. Lorsque Lucia n'obtint pas le premier prix au concours de danse du Bal Bullier, auquel elle participait costumée en poisson d'argent, Beckett fut frappé de voir Joyce attribuer l'échec de sa fille à l'engouement nouveau pour les danses nègres. Lucia, quant à elle, décida d'abandonner la danse, resta couchée pendant des jours, puis mit tout ce qu'elle avait d'énergie à conquérir Beckett. Elle se postait à la porte, guettant ses visites, et organisait des déjeuners au restaurant, mais Beckett s'efforçait de déjouer ses avances en se faisant accompagner d'un ami. Lors d'un tel déjeuner, sa déception fut si vive qu'elle resta figée les yeux dans le vide, ne mangea rien, éclata en sanglots et se sauva du restaurant, laissant deux jeunes poètes sans le sou se débrouiller avec l'addition. Pour Beckett, les sentiments de Lucia étaient plus qu'excessifs, ils frisaient l'inceste. Lorsqu'il lui dit brutalement que c'était son père qu'il venait voir, elle tomba dans un état catatonique : pour elle, c'était un échec de plus. Elle avait étudié le chant, le dessin et 17 types de danses, mais se révélait incapable d'attirer l'attention d'un homme autre que son père. Nora accusa Beckett de lui avoir fait des avances et il fut prié de mettre fin à ses visites.

Lors de la fête pour les 50 ans de Joyce, Lucia lança une chaise à la tête de sa mère et Giorgio dut la maîtriser pendant que deux infirmiers lui passaient la camisole de force. Son père, incapable de réagir, la regarda partir en ambulance. Au bout de quelques jours, elle sortit après avoir signé une décharge, mais Nora eut désormais peur de rester seule avec elle. Joyce, refusant d'admettre qu'elle pouvait être folle, décréta que c'était seulement une jeune fille « victime d'impulsions subites ». La folie ne faisait pas peur à Joyce ; c'était un terme qu'il employait souvent, tout comme le faisait son père pour exprimer ce qu'il pensait de l'œuvre de son fils. Mais écrire la folie est une chose et la vivre chez soi en est une autre. Lucia restait assise devant la fenêtre, apathique, ou jetait des meubles à la tête de sa mère en l'agonisant d'injures ; elle lui reprochait de l'avoir conçue en dehors du mariage, ce qui faisait d'elle une bâtarde, mais absolvait son père de toute faute.

Il accepta de mauvaise grâce de la faire examiner par des médecins puis admettre dans un sanatorium, d'où, plein de remords, il la fit sortir clandestinement. Lucia refusa de continuer à voir des psychiatres, et plusieurs amis parisiens furent sommés de jouer les gardes-malades. Joyce lui passait tous ses caprices. Ainsi, lorsqu'elle séjourna chez Mary Colum, épouse du poète irlandais, le médecin avait l'ordre de faire comme s'il venait examiner cette dernière et comme si Lucia était simplement leur hôte. Bien qu'avant de dormir, Mary eut pris soin d'attacher sa manche de chemise de nuit à celle de Lucia, la jeune femme réussit à s'enfuir. Elle ne se cachait pas de chercher un homme. Joyce, qui admettait qu'elle avait eu plusieurs amis de sexe masculin, disait avec désinvolture qu'il lui importait peu d'être un « vieillard » puisque les prétendants de sa fille n'étaient que des « freluquets ». Une vilaine rumeur laisse entendre qu'ils eurent des relations sexuelles, mais Joyce l'aimait beaucoup trop pour cela, et l'amour que Lucia lui portait avait l'intensité d'une tragédie grecque. Il était tout pour elle. Voulant le réconcilier avec son pays, elle écrivit au roi d'Angleterre pour le convaincre du génie de son père, qui à ses revendications même les plus folles répondait simplement : « Bravo ! bravo ! » Il trouvait une explication à tous ses dérèglements, affirmant qu'il s'agissait d'un problème physique et non mental. À contrecœur, il consentait à l'essai d'un nouveau traitement, acceptait de la faire examiner encore par un autre médecin, et il finit même par écarter ses doutes et la confier aux soins de Jung (dont la préface à l'édition allemande d'*Ulysse* montrait qu'il n'avait rien compris au livre). Jung crut tout d'abord pouvoir guérir Lucia puis abandonna cet espoir ; il se les figurait, elle et son père, comme deux êtres qui allaient toucher le fond d'une mare, l'un en plongeant et l'autre en se noyant. Lucia, pour sa part, l'appelait le « gros Suisse matérialiste » et l'accusait d'essayer de lui voler son âme. Joyce s'extasiait devant l'esprit pénétrant qu'il croyait déceler en Lucia et admirait le caractère impitoyable de ses « rêveries illuminées de voyance ». Même le dessin d'un cercueil portant l'inscription « Voici Jim » ne l'alarma pas. Il perdait les amis qui tentaient de le raisonner, et il la perdait tout aussi inéluctablement.

Le jour du cinquante-deuxième anniversaire de Joyce, alors que des félicitations arrivaient de toutes parts et que leur parvenait enfin la nouvelle de la parution d'*Ulysse* aux États-Unis, elle coupa le fil du téléphone et frappa sa mère. La ronde des séjours en clinique, des nouveaux traitements, des diagnostics contradictoires recommença ; Joyce lui écrivait pour lui remonter le moral et lui promettait — vieille panacée — un manteau de fourrure. Ayant renoncé à la danse, elle entreprit de se lancer dans l'enluminure ; son père l'y encouragea, persuadé que, même si elle n'était pas Cézanne, cela donnerait au moins un sens à sa vie.

Assommée de laudanum ou de véronal, Lucia décida un beau matin qu'elle voulait se marier, de préférence au mois de juillet. Sa mère et son frère jugèrent la chose insensée, mais Joyce souscrivit à cette idée. Paul Léon, son secrétaire, persuada son beau-frère Alex Ponisovsky de demander

Lucia en mariage, ce que le jeune homme fit sans enthousiasme, comme on peut l'imaginer. Elle accepta immédiatement. Joyce se sentit rassuré. Tout irait bien. Les amis
furent encouragés à envoyer des fleurs et des messages de
félicitations. Joyce organisa un repas de fiançailles, qui se
termina tristement. Lucia quitta brusquement le restaurant
et courut se réfugier dans l'appartement des Léon, où elle
resta prostrée sur un canapé pendant des jours. Elle rompit
ses fiançailles, se fiança à nouveau, mais rompit dans les
24 heures sous prétexte qu'elle détestait les juifs.

Pensant qu'un changement d'air et de pays ferait merveille, Joyce demanda à Miss Weaver d'accueillir Lucia à
Londres. Les divers traitements avaient échoué, les cures
d'eau de mer aussi, il ne se faisait pas à l'idée de devoir la
faire interner à demeure. Comme Mary Colum, Miss
Weaver découvrit une Lucia fugueuse et dut se résoudre à
dormir à côté d'elle en lui tenant la main. Lucia réussit
pourtant à s'échapper. Elle monta à bord d'un bus à des-
tination de Windsor, puis téléphona depuis un hôtel à Miss
Weaver de venir immédiatement lui apporter des vêtements propres. Lorsque son sauveteur arriva, elle avait déjà
pris la fuite. Elle décida ensuite que Londres ne lui conve-
nait pas et opta pour Dublin afin de réconcilier cette ville
amère avec l'illustre nom de son père. Pour ses cousins de
Dublin, ce fut le chaos : elle prit une surdose de médica-
ments, fit paraître une annonce dans un journal du soir

pour prendre des leçons de chinois et alluma un feu au beau milieu de sa chambre (elle expliqua ensuite qu'elle aimait l'odeur de la tourbe et que la couleur des flammes lui rappelait le visage de son père). De plus, elle sortait sans sous-vêtements et faisait des propositions à tous les hommes qui lui plaisaient.

Les lettres que Joyce lui écrit alors sont celles d'un amant. Dans chacune d'elles, il glisse de l'argent, un fortifiant ou une belle histoire de Tolstoï. Il lui recommande de manger beaucoup d'œufs, du lait et des fruits et il se réjouit d'apprendre qu'elle a bien reçu les bas beiges, sa couleur préférée. Il est tout à la fois père, médecin et prétendant. Il lui rappelle la soirée où ils virent « de petites lanternes éparpillées sur l'herbe » : c'est l'enfant en lui qui en appelle à l'enfant en elle. Non, elle n'était pas folle, simplement elle parlait un langage curieusement abrégé qu'il était le seul à connaître, celui de *Finnegans Wake*. Le séjour de Lucia à Dublin se termina par son internement à Finglas ; Joyce, scandalisé, fit d'acerbes reproches à sa sœur et à ses nièces et rompit définitivement avec elles. Ce fut alors le retour chez Miss Weaver.

Celle-ci loua un cottage à Kingswood près de Reigate, dans le Surrey, et s'assura des services dévoués d'une infirmière psychiatrique. Toutes deux se relayaient pour surveiller Lucia et devaient la maîtriser lorsque les crises étaient trop violentes. Quand Joyce l'apprit, il en fut outragé : sa fille n'avait pas besoin d'un « flic déguisé ». En bref, l'infirmière devait partir. En outre, il réprimanda Miss Weaver pour avoir associé dans une même phrase les noms de sa fille, de sa sœur et de ses nièces. N'ayant pas été élevée en esclave et n'étant ni bolchevique ni hitlérienne, Lucia, dit-il, ne plaisait pas à tout le monde, et il mit Miss Weaver en demeure de lui dire franchement si elle aimait ou non sa fille.

« C'est moi qui suis fou », déclara-t-il, la harcelant pour qu'elle prenne position, puis couvrant de mépris les « espèces sonnantes et trébuchantes » qu'elle lui versait.

Plus les semaines passaient, plus l'état de Lucia se détériorait ; on fit venir un certain docteur MacDonald, adepte des « punitions corporelles », mais il dut rapidement se résoudre à la faire interner à l'hôpital de Northampton. Joyce perdit alors toute confiance dans les capacités de Miss Weaver ainsi que dans celles des médecins anglais et écossais. Croyant encore pouvoir la sauver, il organisa le retour de Lucia dans une maison de repos parisienne où il pourrait lui rendre visite.

Miss Weaver supplia Joyce de la laisser venir à Paris pour dissiper leur malentendu, voir Lucia et lui apporter la valise qu'elle avait laissée derrière. Ne recevant aucune réponse, elle lui écrivit que le numéro de son immeuble était maintenant le 101, ce qui le réjouirait sans doute, car ce numéro symbolisait la roue qui tourne. La réponse qu'elle reçut de son secrétaire Paul Léon était d'un formalisme glacial. «De lourds et tragiques événements» préoccupaient Joyce; elle avait trompé la confiance absolue qu'on attend de ses amis. Désormais Joyce et Lucia combattraient seuls contre le monde extérieur.

Avec l'allongement progressif des séjours de Lucia en maison de santé et son attitude de plus en plus hautaine, Joyce commença à entrevoir le caractère désespéré de son état. Elle disait avoir éconduit tous ses admirateurs, y compris Beckett, parce qu'ils étaient juifs. La nuit déjà. La nuit à jamais.

Lorsque Lucia écrivit à son père: «Si je dois jamais m'en aller, ce sera dans un pays qui t'appartient…», il crut sans doute entendre le fantôme d'Anna Livia. Elle ne partit pas, mais se retira dans les confins de son cerveau malade. Cependant, lorsqu'elle apprit la mort de son père, ce n'est pas en fille aimante qu'elle réagit mais avec une fureur vengeresse: «Que fait-il sous terre, cet idiot? Quand se décidera-t-il à sortir?» Abandon.

CHAPITRE 21

Lui et les autres

LA VISION QUE JOYCE avait de lui-même était bien différente de celle des autres. Un jour, à Paris, Arthur Power déclara : «Vous êtes un homme dénué de sentiments.» Joyce se retourna, agacé, et rétorqua : «Mon Dieu, je suis un homme sans sentiment!» Son allure était distante et quelque peu aristocratique, ses manières cérémonieuses, ses cheveux brun-roux coupés en brosse, et sa bouche formait une ligne mince et dédaigneuse.

Il inspirait la crainte. Même s'il disait à Nora : «Ne vois-tu pas la simplicité qui se cache derrière tous mes masques?», il en portait de nombreux dont il pouvait changer subrepticement. Certains pensaient qu'il pompait l'énergie de son entourage, et lui-même appréciait les échanges uniquement s'ils pouvaient nourrir son imagination, sinon il préférait se taire. Beckett voyait dans ces «émanations de silence et d'amour » le secret du mystérieux génie de Joyce. Souvent critique à l'égard de ses confrères, il témoigna à George Bernard Shaw, lorsque celui-ci reçut le prix Nobel, sa joie de voir couronné un Dublinois. Personne ne le méritait autant.

Aussi fragile qu'un cerf ou un oiseau, poursuivi par la maladie et la malchance, il était malgré tout invincible. George Roberts, son éditeur peu empressé (qui attribua ses échecs ultérieurs à une malédiction attirée par Joyce) le comparait à la Chaussée des Géants, le promontoire rocheux qui s'étend entre l'Irlande et l'Écosse. Yeats, qui le connaissait à peine à Dublin lorsqu'il jouait les « piliers de bistrot », perçut aussitôt son caractère récalcitrant et dit qu'il était « doux comme un chat-tigre ». La cruauté de Joyce ne le quitta jamais et personne n'eut tant à en souffrir que Miss Weaver. La « grippe intestinale » dont Paul Léon, le secrétaire de Joyce, l'entretint par lettre, laissait présager leur brouille. Léon lui transmettait toutes les requêtes de Joyce : faire parvenir un exemplaire à tel ou tel personnage important, envoyer une gerbe pour l'enterrement de George Moore, presser ses avocats de vendre des titres. Elle ne devait jamais comprendre pourquoi elle fut si impitoyablement rejetée. Elle concédait avoir des divergences de vues à propos des soins de Lucia et s'être, à juste titre, inquiétée des « extravagances résolues » de Joyce, mais elle n'avait jamais voulu l'ennuyer. Tout ce qu'elle put tirer de

Léon fut que « son changement d'attitude vis-à-vis de M. Joyce, tant auprès de sa famille que de son entourage immédiat tombait mal à propos ». Elle en fut abasourdie et supplia qu'on lui explique. Joyce n'était pas d'humeur à écouter. Elle écrivit encore pour l'assurer qu'elle se replongeait dans les fragments de son *Œuvre en cours*, mettant sur le compte de son esprit obtus sa difficulté à comprendre *Le Renard et les Raisins*, les cultures paléolithique ou tardenoisienne, les prophéties de saint Malachie ou les chants de Zozime, le barde irlandais aveugle converti par saint Patrice.

Elle voulait que Joyce sache qu'elle ne l'avait pas oublié et qu'elle serait toujours prête à l'aider. En retour, Léon lui fit part du grand vide que Joyce ressentait dans son foyer et dans son cœur, sa fille étant absente et le public méconnaissant son génie. Elle apprendrait ensuite que Lucia avait fait une nouvelle rechute et que Joyce devait se rendre à Zurich pour une opération des yeux, et Léon précisait que toute aide de Miss Weaver serait une « bénédiction ». Elle répondit toujours à ces demandes. Elle paya les funérailles de Joyce et apporta toute l'aide qu'elle put à Nora et à Giorgio, qui étaient claquemurés dans une pension de famille suisse et ne pouvaient toucher les droits d'auteur d'*Ulysse* pendant la guerre. Elle fit don de toutes les lettres de Joyce au British Museum, hormis quelques-unes, dit-elle, dans lesquelles il avait mis à nu son affliction, lui racontant la détérioration mentale de Lucia et l'hostilité dont celle-ci faisait preuve à l'égard de sa mère. Non seulement sut-elle l'apprécier comme créateur, mais elle reconnut le sacrifice suprême que son œuvre avait exigé de lui et de son entourage. Vu les services qu'elle a rendus à la littérature, Miss Weaver mérite d'être canonisée.

Eisenstein, qui rendit visite à Joyce dans les années 30 pour discuter d'une possible adaptation cinématographique d'*Ulysse*, se rappelle une silhouette frêle, cachée derrière de grosses lunettes, un verre comme une vitre, l'autre comme une loupe : un chaman dans une chambre sombre. Joyce ne s'anima que lorsqu'il put parler de *Finnegans Wake*, son « long et langoureux livre de la nuit ». Eisenstein en ressortit avec l'impression d'une « expérience fantomatique », d'un échange de quelques bribes entre deux spectres. Mais il reconnaissait en Joyce un grand homme — un homme qui « sait », contrairement au commun des mortels qui « sent ». Il est vrai que 30 années s'étaient écoulées entre le Joyce de Yeats et celui d'Eisenstein, mais sa métamorphose devrait plutôt se compter en siècles qu'en années. Il pensait que son œuvre, depuis *Dublinois*, avait suivi une ligne droite, malgré une expressivité et une technique d'écriture qui avaient gagné en complexité, et il ne pouvait comprendre pourquoi le public était désorienté. Avec son audace coutumière, il déclara que ce que l'œil retient n'est rien, ajoutant : « J'ai cent mondes à créer, je n'en perds qu'un. »

Avec les intellectuels européens auxquels il accordait audience, il laissait son humeur lui dicter les questions dont il traiterait. Le seul grand penseur, insistait-il, était Aristote, ceux qui suivirent, de Kant à Croce, n'avaient fait que cultiver le même jardin. L'État et les gouvernements lui inspirèrent toujours un profond dégoût ; « L'État est concentrique, l'homme excentrique », disait-il. La victoire matérielle menait selon lui à la mort de la spiritualité, noble précepte qui était cependant à des années-lumière des pressions qu'il exerçait sur Miss Weaver pour obtenir de l'argent ! Il rappelait à ses visiteurs tous les obstacles qu'il avait dû surmonter en écrivant *Ulysse*, les insanités qui avaient été proférées contre ce livre, et citait la belle métaphore de Valery Larbaud, qui le comparait au ciel étoilé dont la beauté s'accroît avec l'observation, avec la découverte de nouvelles étoiles. D'autres fois, il préférait se taire. Il pouvait s'enfermer dans un silence glacé, puis, brusquement, réciter l'*Hérodias* de Flaubert et mimer la « Danse de Salomé » en faisant emporter la tête de Jean-Baptiste sur un plateau.

Ce déconcertant mélange de réserve et d'érudition ne le quitta jamais. Le critique suisse Jacques Mercanton rapporte que, lors d'une promenade à Lausanne avec les Joyce, alors en vacances, il subit un feu roulant de questions sur le nom des places qu'ils traversaient, des montagnes, des vins, du lac — noms que Joyce répétait inlassablement pour en savourer les sons, qui remplaçaient sa vision et son toucher défaillants. Un samedi de Pâques, à Paris, à l'occasion de la bénédiction des fonts baptismaux, ce même écrivain se souvient d'un Joyce triste et effrayé s'agrippant à sa main pour se rassurer. Il allait à l'église en des occasions particulières parce qu'il aimait entendre les chants, mais aussi parce que la liturgie et le rituel catholiques représentaient selon lui «les plus vieux mystères de l'humanité».

Beaucoup l'ont décrit avec vénération — figure mystique assise dans une pièce aux volets fermés ou bien dans un restaurant, les mains couvertes de bagues, son éternelle canne entre les jambes lui donnant l'aspect d'un oiseau sur une branche, discutant invariablement du «charabia» de *Finnegans Wake*. Pour le critique Louis Gillet, Joyce était un dieu, un dieu allié strictement aux hommes. Gillet parle de l'affiliation de Joyce au mâle comme d'un axe vital, d'un pinacle où la femme n'a pratiquement aucune place, s'étant fait retirer son rôle de Béatrice. Les «filles d'Ève», poursuit-il, n'ont que de petits rôles, des rôles de figurantes. Selon lui, l'empathie de Joyce était masculine et n'avait rien de sensible ni de sentimental; c'était un courant qui allait d'homme à homme sans l'intermédiaire d'entrailles féminines. Difficile d'accorder ces idées à des phrases telles que: «Caressez-moi. Doux yeux. Main douce, douce, douce. Je suis si seul. Oh, caressez-moi à l'instant, sans attendre.»

Stuart Gilbert, l'un des fidèles disciples de Joyce, fit un portrait plutôt caustique de la famille pendant son séjour à l'hôtel Belmont, près de Paris. Il y vit un jour «Mme Joyce», presque aussi nerveuse que sa fille, s'emporter de plus en plus contre son mari, à qui elle reprochait leur absence de domicile stable et la maladie de Lucia. Gilbert affirma que leur vie était vide parce qu'ils ne s'attachaient qu'aux choses éphémères et qu'ils étaient beaucoup trop égocentriques pour se faire des amis. Joyce, reconnaissait-il, était un peu plus humain que son épouse, mais ses centres d'intérêts étaient peu nombreux et il n'avait d'attachement que pour sa famille et, dans une moindre mesure, pour son pays.

En vérité, le Joyce qu'ils voyaient n'était qu'un fragment de l'homme intérieur. Personne d'autre ne connaissait Joyce que lui-même, personne ne le pouvait. Son imagination était météorique, son esprit cherchait inlassablement à accroître son savoir, les mots crépitaient dans sa tête, les images s'accumulaient en lui «comme les ombres à la porte du monde souterrain». Il voulait arracher son secret à la vie, ce qu'il ne pouvait faire que par l'entremise du langage, car, comme il le disait lui-même, l'histoire des hommes est celle de la langue. En fait, les hommes étaient devenus pour lui des produits de son imagination et il lui suffisait que tel ou tel personnage existe dans ses rêves. Joyce étudiait les mots et les dialectes afin de créer une nouvelle langue ou plutôt d'en retrouver une ancienne, celle qui, croyait-il, avait existé dans toute sa pureté originelle avant la confusion des langues. À partir de cette langue première, il avait décidé d'en créer 40 autres et il expliquait qu'il était normal de faire discuter deux hommes en chinois et en japonais dans Phoenix Park parce que c'était la seule façon d'exprimer logiquement «un grave conflit, un irréductible antagonisme». C'est précisément le désir de provoquer qui était à la source du projet de Joyce, et non quelque volonté de tout obscurcir comme on l'en a accusé. Presque aveugle, il devait sentir les mots, tâche herculéenne qui parfois, comme le nota Lucia, le faisait fondre en larmes. La vérité artistique lui était sacrée: perfection absolue du style, métrique variée, notations musicales et essence d'un lyrisme enchanteur — c'était là sa religion. À l'écrivain polonais Jan Parandowski, il avoua que c'était peut-être la folie qui lui faisait moudre les mots pour en extraire la substance, ou les greffer les uns aux autres et créer des croisements d'espèces ou des variations inconnues; assemblages et dislocations perpétuels.

Tout ce qu'il avait à dire sur le travail, et en particulier sur le sien propre, était précis et éclairant. Sur le reste, il pouvait se tromper comme n'importe qui. Son rejet de la psychanalyse et en particulier de Sigmund Freud — le «Tweedledee de Vienne» — semble quelque peu arbitraire.

Sa vision de la psychanalyse était d'ailleurs assez candide : une maison symbolisait l'utérus, un feu le phallus ! Le nom de Freud avait le même sens en allemand que celui de Joyce en anglais, et *Finnegans Wake* est sans aucun doute un voyage de l'inconscient vers la conscience. Il s'intéressait aux rêves, mais, comme le dit Richard Ellmann, l'interprétation qu'il en faisait était un salmigondis de Freud et des *Mille et Une Nuits*. Les rêves de Nora étaient d'une richesse et d'une complexité qui contrastent violemment avec la description que fit d'elle le journaliste danois, Ole Vinding : « suivant patiemment comme une vache ».

Dans l'un d'eux, Nora se vit dans un théâtre en train d'assister à la représentation d'une pièce de Shakespeare nouvellement découverte, en compagnie de celui-ci et de deux fantômes, et elle prit peur à l'idée que Lucia s'en effraie. Dans son analyse, Joyce se donne le premier rôle alors qu'il n'est même pas présent dans le rêve. Les fantômes sont liés à sa théorie des deux fantômes de Hamlet, dont Nora ne pouvait avoir connaissance puisqu'elle n'avait jamais dépassé les premières pages d'*Ulysse*. La présence de Shakespeare, précurseur de la peur de Joyce et de Lucia, est liée aux honneurs que Joyce recevra plus tard et aux perturbations que son génie engendrera dans l'esprit de sa fille. Dans un autre rêve de Nora, un ancien admirateur, le journaliste italien Prezioso, apparaît en larmes avec entre les mains un exemplaire de *Dublinois*. L'interprétation que Joyce a faite de ce rêve est assez simpliste. Son rival, incapable de se libérer dans la vie, n'est plus qu'un prétendant vieilli et pathétique. Dans la réalité, c'est Joyce lui-même qui, des années auparavant, avait encouragé Prezioso à courtiser Nora, pour ensuite se fâcher parce qu'il avait trouvé une lettre dans laquelle celui-ci déclarait à Nora que « le soleil brillait pour elle ».

Ses propres rêves, quoique frappants, semblent étrangement plus proches de la trajectoire que décrirait l'inconscient d'un Kafka plutôt que celui d'un Joyce. Il en conta un à William Bird qui fait allusion à un crime innommable. Joyce se voit dans un pavillon de 16 pièces, 4 par étage ; dans son rêve, il va sortir dans le jardin lorsqu'il en est empêché par la chute d'une goutte de sang sur le seuil. Désespéré, il visite chacun des quatre étages et voit sur chaque seuil une goutte de sang identique. Les témoins de la scène sont un bourreau en habit de brocart et un homme brandissant un cimeterre. L'interprétation qu'il en fait est assez prétentieuse. La pièce représente les 12 signes du zodiaque, les trois portes la Trinité, il est lui-même le criminel, les gouttes de sang sont les cinq francs qu'il a empruntés la veille à Wyndham Lewis, et l'homme avec son cimeterre est sa femme se plaignant le lendemain matin. Pour un homme qui attachait une telle importance à la numérologie, il y a là contradiction : quatre étages et non trois (le chiffre de la Trinité) et quatre gouttes de sang dont on voit difficilement comment il les convertit en un billet de cinq francs. Dans un autre rêve, qu'il raconta à John Sullivan, il se vit rencontrant Molly Bloom, vêtue d'un sombre costume d'opéra, et lui expliquant l'épisode d'*Ulysse* dans lequel elle apparaît. Guère impressionnée, elle le renvoie avec ces mots : « J'en ai terminé avec vous aussi, Monsieur Joyce. »

Il faisait preuve de la même ambiguïté à l'égard de l'Irlande. Bien qu'il prétendît haïr son pays, cette haine semblait bien pâle en comparaison de celle de Nora. Quand, 30 ans après son départ, un invité le questionna à propos d'une rue de Dublin, il resta silencieux un moment puis se lança dans une description du pavage et de la façon dont les sabots des chevaux résonnaient dessus ainsi que les pas des passants et la variété de leurs échos ; il se remémora ensuite différentes odeurs, l'odeur de moisi et celle du crottin de cheval que l'on appelle là-bas *horse apples*, ainsi que le jeu de la lumière aux différentes heures du jour. Ce dut être une torture pour Joyce que d'être loin de la ville qu'il aimait, dans l'impossibilité de la parcourir ou de se promener sur la grève à marée basse, avec ses losanges de sable, ses vagues qui éclatent et se retirent en glissant, mer pâle inondée de soleil. Ce paysage fut le premier à captiver ce jeune être plein d'énergie. Il ne l'oublia jamais, ne le quitta jamais vraiment, malgré l'exil — « ce sanglot de tourbe qu'il revendiquait comme sien ».

Il y a un fait dans la vie de Joyce qui défie la raison : il ne fit plus jamais allusion à sa mère après sa mort. Il est difficile de concevoir que celle qui eut sur lui une influence si durable ne fut citée dans aucune de ses lettres à sa famille, ni mentionnée après la mort de son père ou la dépression de sa fille. Il s'agit là d'une répudiation sauvage et délibérée. Il avait dit de sa mort qu'elle était « comme une blessure au cerveau », et ailleurs il parla des mots comme d'une mer « se brisant sur son cerveau éclaté ». Mots de la mère et océan inséparables. Bloom méditera sur la félicité intra-utérine — « Bébé non né eut félicité. Fœtus il fut fêté » — alors que James Joyce continuera à la renier. À la mort de sa mère, il ne montra aucun chagrin et quand il rencontra Nora quelques mois plus tard, il lui dit qu'elle était morte des mauvais traitements infligés par son père et du « comportement d'une franchise cynique « qu'il avait eu à son égard. Mais les choses étaient plus compliquées que cela. Il l'avait bannie absolument et, lorsqu'elle revint dans sa fiction, ce fut sous la forme d'une persécutrice. Stephen le héros dit : « Mais tu m'as allaité d'un lait amer ; mon soleil et ma lune, tu les as éteints pour toujours ! Tu m'as laissé seul à jamais dans mes voies d'amertume ; et n'as-tu point d'un baiser de cendres baisé ma bouche ? »

Joyce était un homme tragique, au génie renversant, qui se servait de son humour comme d'une arme. Oliver Gogarty, dans un article du *Saturday Evening Post*, écrivit que Joyce ressemblait à un Dante qui aurait perdu la clef de son propre enfer. Joyce n'avait perdu aucune clef ni aucun mot; il les avait en fait déterrés, mis au jour. Michael Lennon, un ancien juge de paix de Dublin, écrivit dans le *Catholic World* que l'œuvre de Joyce était «excrémentielle» et accusa son compatriote d'ouvrir les égouts de l'esprit à une intelligentsia saturée de pseudo-freudisme. Il déclara qu'*Ulysse* était un livre «point tant pornographique que physiquement sale», précisant toutefois que son auteur s'était fait évincer du trône des écrivains ignominieux par D. H. Lawrence. Il concluait en exprimant son écœurement à l'idée qu'il pouvait y avoir dans le cœur de Joyce des «étincelles de foi brisée» que sa cécité et son désespoir embraseraient peut-être. Joyce avait-il un avenir? La réponse était non. Comme poète et romancier, il échouerait toujours.

Mais l'avenir de Joyce est assuré. Son ombre hante tous les grands écrivains qui l'ont suivi. Son œuvre engendre quantité d'essais, traités, livres et colloques, mais plus révélateur que tout, il est toujours haï, et peut-être plus viscéralement encore qu'auparavant. Il plaisanta un jour avec Miss Weaver sur le fait qu'après la publication d'*Ulysse* quelqu'un avait dit, à Paris, qu'il était censé être un poète mais qu'il ne s'intéressait qu'aux matelas. Il aurait d'autres occasions de plaisanter.

En 1998, à Dublin, Bloomsday fut joyeusement célébré; des hommes et des femmes vêtus à la mode édouardienne

récitèrent des extraits d'*Ulysse* — les plus osés de préférence — et l'on vit des « filous », comme les aurait appelés
Joyce, se promener sur des bicyclettes d'époque. Atmosphère de fête. Il y eut même un gentleman assez téméraire
pour poser dans l'eau glacée de Sandycove avec un exemplaire d'*Ulysse* à la main. Des rognons et des abats furent
servis au petit déjeuner et l'alcool coulait à flots ! Un érudit
dublinois affirma même que, lu en japonais, *Finnegans
Wake* avait plus de sens que dans l'original. Une bannière
déployée à l'aéroport de Dublin annonçait Bloomsday, et
partout dans le monde depuis l'aube jusqu'au coucher du
soleil, on lut et transmit sur Internet des extraits de l'œuvre
de Joyce. Deux jours après, dans une lettre à l'*Irish Times*,
un certain M. Coisdealagh voulut poursuivre la croisade
anti-Joyce. Selon lui, le portrait injurieux que l'écrivain
véhiculait de l'Irlande montrait bien la rancune qu'il avait
nourrie contre son pays. De plus, ses livres n'étaient même
pas réellement les siens puisqu'il ne s'agissait que de
brouillons non corrigés, truffés de fautes grammaticales et
de bévues indéchiffrables que les lecteurs et les imprimeurs
prenaient pour parole d'évangile. Cet homme n'aurait sans
doute pas voulu savoir ce qu'avait coûté *Ulysse* : sept ans de
labeur, 20 000 heures de travail, des troubles cérébraux,
corporels et nerveux, de l'agitation, des évanouissements,
et d'innombrables dommages oculaires — glaucome, iritis,
décollement de la rétine, œdèmes, abcès et quasi-cécité.

Que Joyce ait continué à écrire malgré tant d'incompréhension et de souffrances physiques, c'est dire le pouvoir du Saint-Esprit caché dans son encrier.

Savoir à qui «appartient» Joyce est une question qui mine bien des réunions de joyciens — revendication si possessive et absurde qu'elle ne mérite aucune réponse. Le génie est chose singulière et Beckett avait raison de dire que l'artiste qui met sa vie en jeu est toujours seul.

C'est Nora qui lui trouva la plus belle épitaphe, quand elle écrivit à sa sœur : «Mon pauvre Jim — c'était un si grand homme. »

CHAPITRE 22

Départ

Pendant la dernière année de sa vie, Joyce se renferma sur lui-même ; Nora demandait aux invités de l'égayer. Elle se plaignait de ne pouvoir lui arracher trois mots dans une journée ; que restait-il à dire après 30 ans de mariage ? répliquait-il. C'était en 1940, les tragédies publiques et privées se conjuguaient, Paris devait bientôt tomber aux mains des Allemands et l'exode commençait. La famille Joyce se trouva, comme beaucoup d'autres, dispersée : Lucia dans une maison de santé à Ivry ; Giorgio, séparé de son « hystérique épouse », engagé dans un combat pour la faire repartir pour New York et obtenir la garde de leur fils.

Conscient du caractère terriblement inéluctable de l'invasion nazie, de toutes ses implications et du « défaitisme » des nationalistes français, Joyce restait cependant fort préoccupé par les troubles mentaux de sa fille et par son livre à l'abandon. Il ne s'était jamais engagé politiquement et ne le ferait pas plus maintenant. S'il avait aidé des intellectuels juifs à fuir l'Europe pour l'Amérique, il ne s'en attirait pas moins la colère de Nora et de ses amis avec son hypothèse que les pouvoirs démoniaques d'Hitler fournissaient une nouvelle preuve que l'histoire se répète — le thème de *Finnegans Wake*. « Laissons les Tchèques en paix et occupons-nous de *Finnegans Wake* », disait-il. Beckett, qui l'aida un jour à récupérer des papiers laissés dans un appartement, se souvient de Joyce assis au piano criant d'une voix forte : « À quoi sert une telle guerre ? »

Nora et lui s'installèrent à Saint-Gérard-le-Puy, petite ville endormie où la vie était bien différente de celle qu'ils menaient à Paris. Les bons citoyens de Saint-Gérard ne voyaient en lui qu'« un pauvre vieux bonhomme » dans son long pardessus, avec un bandeau sur l'œil, une canne à la main et des pierres dans les poches pour éloigner les chiens errants. Lorsqu'il n'était pas accompagné de Nora, il se glissait dans un bar où il avalait quelques Pernod pour se remonter le moral. Il était devenu squelettique.

Il lui arrivait parfois de chanter, échauffé par la compagnie, la boisson et le souvenir des festivités passées. Il ne se hasardait cependant plus à chanter *Oh, the Brown and the Yellow Ale*, mais choisissait un répertoire plus intimiste, qui lui correspondait davantage et qu'il interprétait avec

retenue. Jacques Mercanton se souvient de son visage «il-
luminé par ces instants de grâce». Les amis se joignaient
pour entonner en chœur *Ye Banks and Braes,* mais les accès
de gaieté étaient brefs. Personne ne soupçonnait ses tourments intérieurs et, d'ailleurs, le monde était aux prises
avec une catastrophe autrement plus grave puisque le
Danemark, la Norvège, la Belgique et les Pays-Bas tombaient aux mains des Allemands.

«Je peux faire ce que je veux des mots», dit-il un jour;
pourtant, il ne parvenait pas à faire ce qu'il désirait si
ardemment: rendre Lucia saine d'esprit. Apprenant qu'un
hôtel non loin allait être réquisitionné comme maison de
santé, il rencontra le médecin pour y faire admettre Lucia.
Il ne se sentait pas rassuré par le médecin d'Ivry qui prétendait que les alertes aériennes nocturnes pouvaient être
bénéfiques aux patients agités. Dans ses accès de violence,
Lucia brisait les vitres, attaquait les infirmières ou les
autres patients, mais son père croyait encore pouvoir la
délivrer de son mal si elle se trouvait près de lui. Sans elle
et dans l'incapacité d'écrire, il était perdu. Un écrivain, et
particulièrement un grand écrivain, parce qu'il est simultanément officiant, témoin et victime, ressent à la fois davantage et moins que les autres la souffrance humaine. S'il
cesse même temporairement d'écrire, son esprit occupé
jusque-là par l'agencement des mots tombe en friche. Joyce
n'avait plus dans son cœur que rage et désespoir, la rage

d'un enfant et le désespoir d'un homme brisé. Cet état ne lui était pas propre. Tolstoï, dans sa vieillesse, avait renoncé à son travail et peuplé son domaine d'illuminés dignes de Raspoutine, qui brisèrent son ménage. Lorsqu'il s'en fut de chez lui, sa femme Sonia, qui avait porté ses nombreux enfants et copié *Guerre et Paix* trois fois de sa main, partit à sa suite, mais elle se vit plus tard refuser l'entrée de la salle où il agonisait. Eugene O'Neill en vint à considérer son épouse Carlotta comme une ennemie, et qui plus est une ennemie démente. Virginia Woolf remplit ses poches de grosses pierres et se jeta dans l'Ouse, une rivière du Sussex. Charles Dickens, devenu solitaire et morose, monta ses enfants contre sa femme, dont il était séparé.

Joyce ne quitta pas Nora, dont il dépendait même de plus en plus avec les années. Stuart Gilbert décrivit une scène qui s'était produite un ou deux ans auparavant. Nora faisait ses bagages pour partir vivre à l'hôtel, et Joyce, pelotonné dans un fauteuil avec un air abattu, la supplia de rester parce qu'il n'était capable de rien sans elle ; pour toute réponse, Nora lui suggéra d'aller se noyer. Puis resurgirent les vieux sujets de dispute : la boisson, et les sommes dépensées pour aider le ténor irlandais John Sullivan alors que leur fils Giorgio en aurait eu bien besoin. Afin de les laisser s'expliquer, Gilbert quitta l'appartement, mais, à la demande de Joyce, téléphona à 18 heures pour s'entendre dire par Nora : « J'ai encore cédé. » Joyce aimait sa famille et affirmait qu'elle était tout pour lui, mais, en vieillissant, il se détachait des choses de ce monde ; comme pour Anna Livia, « le dégoût le gagnait ». Les mots avaient été sa raison de vivre. Il expliqua à Ole Vinding que, malgré toutes les difficultés posées par *Finnegans Wake*, ce livre lui avait procuré un immense plaisir et avait pour lui « une réalité plus grande que la réalité même ». La plénitude que lui apportait le travail était contrebalancée par un vide dévorant. Camus a décrit la peur de l'acteur et son sentiment d'impuissance, mais l'écrivain stérile est plus démuni encore. Parce qu'il est capable d'inventer des mondes, de passionnément dépeindre les émotions, de créer des personnages aussi vivants qu'Anna Karénine ou que Leopold Bloom, l'écrivain semble invincible, mais c'est peut-être lui le plus vulnérable de tous. La face escarpée de la falaise est son lot quotidien. L'ironie veut que le vertueux André Gide, qui avait renvoyé son exemplaire d'*Ulysse*, ait dit après la mort de Joyce que ce qu'il admirait le plus en lui, comme en Mallarmé, Beethoven ou quelques très rares artistes, c'était que son œuvre s'achevait en à-pic.

Pour l'instant, il n'était pas question d'écrire. Joyce avait toujours avec lui les carnets dans lesquels il notait des mots curieux, mais il n'en avait pas fini avec *Finnegans Wake* parce que le monde n'avait pas commencé à le découvrir. Lorsqu'on lui demanda ce qu'il écrirait ensuite, il répondit que ce serait une œuvre courte et fit allusion à son amour

de la Grèce et à une tragédie sur la révolution moderne de
ce pays. S'il avait assez vécu pour l'écrire, la Liffey aurait
sans aucun doute encore envahi la « sombre mer vineuse ».

En tant que citoyens britanniques, Joyce et Nora étaient
en danger dans la France occupée et Giorgio risquait d'être
enrôlé dans l'armée. La famille décida donc de s'installer
en Suisse neutre, entreprise qui se transforma en une fable
kafkaïenne d'une perversité grinçante. Une fois les autorités suisses contactées pour un éventuel asile, s'ensuivirent
les habituelles inepties bureaucratiques. Joyce fut soup-
çonné d'être juif par un rond-de-cuir qui le confondit avec
le personnage de Leopold Bloom. Il fut ensuite question
d'argent. Les possessions terrestres des Joyce parurent si
modestes qu'on leur demanda une garantie de 50 000
francs. Paul Ruggiero, un ami suisse de longue date, se
joignit au critique d'art Carola Giedion-Welcker pour faire
baisser le chiffre à 20 000 francs, et ils réunirent eux-
mêmes la somme.

Une fois ces formalités réglées, restait à obtenir les visas
du gouvernement de Vichy, en faisant jouer d'autres influences. Une délégation de l'Académie française se rendit
dans la petite ville, à la grande stupéfaction des habitants.
Les visas furent enfin délivrés et tamponnés sur les passe-
ports de Joyce et de Nora, mais on découvrit que ceux-ci
étaient expirés. Giorgio se rendit à bicyclette au bureau
du chargé d'affaires américain et réussit à persuader un

employé de les renouveler, bien que celui-ci n'ait pas eu la compétence requise. L'affaire se termina par un dernier épisode « homérique » — l'achat au marché noir d'un litre d'essence pour conduire les Joyce à la gare.

Le 15 décembre 1940, les « Bethléhemites » purent enfin partir, sans un sou ou presque, une seule valise à la main et un voyage de 19 heures en train devant eux pour se mettre à l'abri. Joyce espérait, une fois installé, pouvoir faire venir Lucia de Bretagne, mais, dans la semaine qui suivit, les autorités allemandes retirèrent à sa fille son permis de sortie, et le transport de voyageurs civils à travers la France fut interrompu. Il n'existe pas de dernière lettre de Joyce à sa fille et on ne sait par quels superbes mots il aurait essayé de la rejoindre. Il était fragile, préoccupé, refusait toute nourriture, mais pas l'alcool ; et lorsque Ruggiero posa par mégarde son chapeau sur son lit, Joyce sursauta et dit : « Ruggiero, retire ce chapeau du lit, cela signifie que quelqu'un va mourir. » Ce quelqu'un allait être lui !

« O, Kinch, tu es en péril », avait dit Stephen Dedalus en parlant des pièges sexuels au nom du jeune Joyce ; l'attendait maintenant le pire des pièges — sa propre disparition. En janvier, après une petite soirée au Kronehalle, il fut pris de crampes d'estomac si violentes que seule une injection de morphine put les calmer. On l'emporta le lendemain sur une civière, tordu de douleur, et l'examen révéla une perforation due à un ulcère duodénal dont il souffrait depuis des années, ce que Nora soupçonnait mais que les médecins avaient mis sur le compte de ses « nerfs ».

Juste avant l'opération, il parla à Giorgio des deux peurs qui l'avaient miné toute sa vie : devenir fou et manquer d'argent. La mort était un sujet qu'il n'abordait jamais et quand on lui demanda un jour ce qu'il pensait de la vie après la mort, il répondit qu'il avait une piètre opinion de celle qui la précédait. On lui administra des transfusions avec du sang provenant de deux soldats de Neuchâtel. Cela lui sembla un bon présage, car le vin de Neuchâtel était l'un de ses favoris, « le vrai songe d'une nuit d'été », disait-il. L'intervention fut une réussite, mais, le jour suivant, il tomba dans le coma. Il avait demandé que son épouse puisse coucher dans un lit près du sien, mais le personnel médical conseilla à Nora et à Giorgio de rentrer chez eux et Joyce mourut, comme sa mère, le treizième jour du mois, date qu'il avait toujours considérée comme néfaste aux voyages.

Ses funérailles au cimetière de Fluntern furent discrètes ; y assistèrent Nora et Giorgio, quelques amis, deux dignitaires suisses et le ténor Max Meili, qui chanta *Addio terra, addio cielo* de Monteverdi. Lord Derwent, ministre du gouvernement britannique, déclara que l'Irlande continuerait à « prendre une revanche durable sur l'Angleterre en produisant des chefs-d'œuvre littéraires ». L'Irlande n'était présente que par la couronne de verdure que Nora

avait choisie, en forme de harpe. Paul Ruggiero avait proposé d'amener un prêtre, mais Nora dit qu'elle ne pouvait
faire cela à Jim. Un vieux monsieur qui demeurait dans la
même pension et qui avait suivi la procession, demanda à
de nombreuses reprises qui on enterrait. Le croque-mort
répondit chaque fois : « Herr Joyce ».

S'il avait été vivant, Herr Joyce n'aurait pas manqué
d'écrire là-dessus quelques pages triomphantes et pleines
d'humour, douloureuses et désordonnées, comme tout ce
qui touche à la vie et à la mort.

BIBLIOGRAPHIE

Les ouvrages de cette liste sont donnés dans l'ordre de préférence de l'auteur.

Richard ELLMANN, *James Joyce* (Gallimard, et en deux tomes dans la collection «Poche universitaire pluridisciplinaire», Gallimard, pour la version française).

Richard ELLMANN, *The Consciousness of Joyce.*

Stanislaus JOYCE, *My Brother's Keeper (Le gardien de mon frère,* Gallimard, 1966)

Patricia HUTCHINS, *James Joyce's World.*

John BISHOP, *Joyce's Book of the Dark.*

Jackson I. COPE, *Joyce's Cities.*

James FAIRHALL, *James Joyce and the Question of History.*

Bernard McGINLEY, *Joyce's Lives.*

Willard POTTS (dir.), *Portraits of the Artist in Exile.*

Richard BROWN, *James Joyce and Sexuality.*

John Wyse JACKSON et Peter COSTELLO, *John Stanislaus Joyce.*

Brenda MADDOX, *Nora* (Albin Michel, 1990, pour la version française).

Deirdre BAIR, *Samuel Beckett* (Fayard, 1990, pour la version française).

Stuart GILBERT, *Reflections on James Joyce.*

Frank BUDGEN, *The Making of Ulysses.*

Bruce ARNOLD, *The Scandal of Ulysses.*

Arthur POWER, *Conversations with James Joyce (Entretiens avec James Joyce,* Belfond, 1979).

NOTES SUR LA TRADUCTION

Les citations de l'œuvre de James Joyce sont tirées des traductions françaises suivantes :

Dublinois, Bibliothèque de la Pléiade, sous la direction de Jacques Aubert.

Finnegans Wake, traduction de Philippe Lavergne, Gallimard.

Portrait de l'artiste en jeune homme, Bibliothèque de la Pléiade, sous la direction de Jacques Aubert.

Ulysse, traduction de Morel, revue par Valery Larbaud et l'auteur, Gallimard.

TABLE

1	Il était une fois	9
2	Les Jésuites	13
3	Les encriers	19
4	La rébellion	27
5	Les orphelins	37
6	Les plaisirs	47
7	Nora	53
8	L'exil	63
9	Manifeste	77
10	Trahison	91
11	Seaux	99
12	Obstacles	109
13	Badinage	119
14	« Ulysse »	131
15	Sirènes	153
16	Miss Beach	165

17 Gloire   171

18 Miss Weaver   183

19 « Finnegans Wake »   191

20 Amis et parents   203

21 Lui et les autres   217

22 Départ   233

Bibliographie   243

Transcontinental
IMPRESSION
IMPRIMERIE GAGNÉ